# Caiu na rede. E agora?

Patrícia B. Teixeira

# Caiu na rede. E agora?

## GESTÃO DE CRISES NAS REDES SOCIAIS

***Publisher***
Henrique José Branco Brazão Farinha
**Editora**
Cláudia Elissa Rondelli Ramos
**Editoração**
Villa d'Artes
**Preparação de texto**
Cláudia Elissa Rondelli Ramos
**Revisão**
Vitória Doretto
**Capa**
Leonardo Gobbi/Trixe Comunicação
**Impressão**
BMF Gráfica



Rua Sergipe, 401 — Cj. 1.310 — Consolação
São Paulo — SP — CEP 01243-906
Telefone: (11) 3562-7814/3562-7815
Site: http://www.evora.com.br
E-mail: contato@editoraevora.com.br

DADOS INTERNACIONAIS DE CATALOGAÇÃO NA PUBLICAÇÃO (CIP) DE ACORDO COM ISBD

T266c

Teixeira, Patrícia Brito

Caiu na rede. E agora? Gestão de crises nas redes sociais / Patrícia Brito Teixeira. - 2. ed. - São Paulo, SP : Évora, 2019.

192 p. ; 16cm x 23cm.

Inclui bibliografia

ISBN: 978-85-8461-209-3

1. Comunicação. 2. Redes sociais. 3. Crise. 4. Gestão. 5. Internet. I. Título.

2019-1765 CDD 302.23
CDU 316.774

**Elaborado por Vagner Rodolfo da Silva - CRB-8/9410**

**Índice para catálogo sistemático:**
Comunicação : Redes Sociais 302.23
Comunicação : Redes Sociais 316.774

*Dedicatória*

*à pequena e grande Valentina Teixeira Pampolin*

*a Deus, que não me deixa parar e traz luz para meu conhecimento*

*Agradecimentos*

*Gratidão faz parte da minha essência. Não fazemos nada sozinhos, até mesmo para escrever um livro temos parceiros que nos amparam e nos direcionam.*

*Agradeço primeiramente à família, que é alicerce de sustentação para os meus empreendimentos.*

*Ao meu marido e parceiro Paulo Pampolin, companheiro e sempre paciente quando preciso me trancar e estudar. Um dos grandes fotógrafos deste país, do qual me orgulho muito.*

*Aos meus pais, Domingos da Silva Teixeira e Nilza Florência Brito Teixeira.*

*Aos meus irmãos, Alfredo José Teixeira Neto e Fabiana Regina Brito Teixeira Dornelas.*

*À afilhada e amada sobrinha, Manuella.*

*Agradeço à Sirlene Bispo dos Santos, que lindamente está comigo no cuidado diário com a Valentina.*

*A todos da Trixe Comunicação Estratégica, que sempre me apoiam.*

*À equipe da We Plan Before, um escritório de gestão de risco e gestão de crise.*

*A jornalista e amiga Márcia Rodrigues, que lindamente me ajudou com os cases.*

*À equipe da Editora Évora e seu diretor, Henrique Farinha.*

*E a você, que reservou um tempo a essa leitura e se interessou pelo meu trabalho.*

# SUMÁRIO

# PREFÁCIO

Não há como trabalhar com riscos se você não fizer as perguntas certas. Não há como trabalhar com riscos sem ter trilhado um planejamento construído a muitas mãos e a muitos olhares críticos. A crítica é a mãe da filosofia, é o solo fértil das ideias construtivas, é o olhar para dentro a partir do que vem de fora e do que sua força interna faz com esta força externa – o que também envolve riscos, é claro.

Talvez este seja um dos grandes motivos que expliquem a grande dificuldade que muitas empresas têm de trabalhar preventivamente com cenários de risco, que poderão se tornar uma crise se não bem cuidados, se não bem olhados. Trabalhar preventivamente requer um olhar lá na frente, estratégico no sentido mais clichê de "melhor prevenir do que remediar". Parece fácil? Não é. Justamente porque nós, humanos, há eras estamos acostumados a viver centrados na normalidade e esquecemos que a história da humanidade é claramente pontuada por crises históricas.

Crise, no sentido mais simples de entender, é uma ruptura da normalidade. Nós temos dificuldade para lidar com quebras, com mudanças repentinas, com reviravoltas. Isso é nosso. Mas, também é nossa, a capacidade de estar preparado. Risco hoje é justamente não estar pronto para orientar com coragem, como um comandante de um navio, qual rumo a tripulação deve tomar quando um maremoto estiver chegando. Como você vai se posicionar? Qual vai ser seu olhar para essas pessoas, sua equipe, e as que estão nesta "grande plateia" que são as redes sociais (tanto corporativas quanto pessoais)? Qual é sua escolha? A crise vai bater a sua porta.

Encarar os riscos de sua empresa (que são também os seus) é uma escolha que, cada vez mais, parece ter uma única consequência. Se você começou a ler este livro, em breve saberá qual é.

**Priscila Cordts**

*Gestora de crise e emergência*
*da Fundação Renova.*

# APRESENTAÇÃO

Sempre fiquei meio desconfiado com trabalhos acadêmicos no Brasil, provavelmente porque as principais lições da minha vida profissional eu aprendi na prática. Mas isso não me afastou da academia: graduei-me, especializei-me e comecei a lecionar. Sempre valorizei a formação, apesar de ser autodidata, porque acredito que uma educação melhor é a forma de acelerar a profissionalização de diversos mercados, inclusive o de comunicação.

Com essa preocupação em mente, sempre procurei valorizar e apoiar acadêmicos e pesquisas que se aproximem do mercado, e poder colaborar com este livro é um grande privilégio.

Patrícia resgatou tudo o que a academia e o mercado produziram sobre gerenciamento de crise e mostrou como as mídias sociais transformaram os conceitos e as práticas envolvidas na prevenção e planejamento no pré e pós-crise.

Este livro o ajudará a prevenir-se, a blindar a sua marca, a reagir durante uma crise, a documentar as lições aprendidas e a evitar a repetição de erros passados.

Pela análise de diversos casos, você entenderá em que as empresas erraram e de que modo crises famosas no Brasil e no exterior poderiam ter sido evitadas ou minimizadas. Verá que, em alguns casos, todas as práticas de gestão de crise tradicional foram acionadas, mas os profissionais não estavam familiarizados com as mudanças que as redes sociais na internet trouxeram para esse cenário.

Este livro é recomendado para qualquer profissional de comunicação. O preparo para a crise deve estar no DNA de qualquer trabalho, seja no planejamento, seja na execução, seja na mídia off-line ou on-line. O que acontece nas mídias sociais não fica mais só nas mídias sociais, mas se espalha, se torna viral, contaminando e prejudicando quem não estiver preparado. Este livro o ajudará a preparar-se, assim como a preparar sua equipe e seus clientes. Não importa se você já é experiente no assunto, pois Patrícia conseguiu reunir a experiência de diversos profissionais e a digeriu para que você possa aproveitá-la em seu dia a dia de uma maneira mais eficiente.

**Edney Souza**

*Professor, empreendedor e especialista em comunicação digital*

# PREFÁCIO DA PRIMEIRA EDIÇÃO

São poucas as opções de literatura a respeito de "crises nas redes sociais", por isso devemos festejar o trabalho de Patrícia Brito Teixeira. O tema é árido, de difícil apuração porque as organizações não gostam de falar sobre isso. É desgastante buscar casos de referência pois as empresas evitam expor suas experiências negativas, sejam ocorridas em redes sociais ou não. O valor deste livro encontra-se nos conceitos e nos inúmeros casos reais, em torno dos quais navegamos da primeira à última página. Por ser uma obra nacional, o trabalho aponta experiências em nosso país, o que é muito especial, pois crises têm forte conexão com cultura, comportamento e história.

O mundo está passando por grandes transformações tecnológicas e sociais, e no meio disso tudo encontra-se a internet, a rede poderosa que conecta todos com todos, em tempo real. Nunca o cidadão teve tanta influência como agora. Pesquisas mostram que o boca a boca, virtual ou não, é o tipo de comunicação que tem maior poder de influência nas decisões de compra e no comportamento dos consumidores. As redes sociais e os *gadgets* móveis potencializam isso ao máximo. Por outro lado, as empresas dependem cada vez menos dos canais tradicionais de imprensa para se comunicar com a sociedade e os seus clientes.

Nunca tudo foi tão exposto e transparente como agora. Vivemos todo o tempo no palco e com telhado de vidro. As empresas parecem que ainda não entenderam isso e negligenciam sua presença nas redes, não cultuam o diálogo e não se planejam para esse novo ambiente.

Crise? Que crise? Já ouvi isso muitas vezes. As organizações minimizam os primeiros sinais de uma possível crise, têm dificuldade em identificá-las e, por isso, procrastinam suas ações de comunicação. Ficam sentadas esperando para ver o que acontece, o que é uma cultura forjada na época onde havia total dependência das relações com a imprensa. A situação é ainda pior, pois Patrícia mostra que as empresas, de modo geral, não têm planos de prevenção para enfrentar problemas graves. A maioria das crises não surge repentinamente, exceto em alguns casos de tragédia, mas vêm do mundo externo, com impactos diretos na internet e na imprensa, iniciam-se com pequenos sinais, como sintomas de uma doença, e quase sempre é um processo evolutivo. Por trás disso encontram-se a identidade, a imagem e a reputação corporativa, que são construídas tijolo sobre tijolo.

Logo no início do livro, Patrícia explica o que o público espera da presença das empresas nas redes sociais: aproximação, interação e engajamento, tudo sob o manto de uma relação de confiança e transparência. Somente dessa forma uma organização será relevante e conseguirá construir credibilidade junto ao seu grupo de relacionamento. Avalio que os três últimos capítulos são os mais importantes do livro, repletos de dicas e de conselhos que não podem ser desprezados. Patrícia ainda nos brinda com suas Considerações Finais, resumindo, generosamente, os pontos mais importantes de toda a obra. Imperdível! É para guardar, colocar num envelope e escrever do lado de fora: SOS - abra se entrar em condição de emergência.

Esta é uma obra de referência, que deve estar na estante de qualquer profissional de comunicação e marketing. Repleta de casos reais, muitos atuais, com rastros que ainda podem ser explorados na internet. Ler este livro esporadicamente dará o alerta constante de que o leitor precisará ter em seu dia a dia – lembrando que preparação e planejamento são fundamentais para todos aqueles que lidam com comunicação e marketing no mundo atual das redes sociais.

**Mauro Segura**

*Diretor de marketing e comunicação da IBM Brasil*
*e autor do blog* A quinta onda

# INTRODUÇÃO

Se preparar antes que aconteça, prevenir e não deixar problemas virem à tona faz parte dos meus princípios. Quem não gosta de problema, não o deixa ganhar força. Celular tocando sem parar, mensagens que não param de chegar com problemas e trabalho até tarde, ou de fim de semana, são sinais de que algo na organização não está sob controle. Estes alertas fazem parte dos meus estudos de gestão de crise e psicanálise. Não podemos nos acostumar com crises diárias. Se está acontecendo, é porque há uma falha na organização. Sigmund Freud diz que você é a causa e solução dos seus problemas. Uma frase ótima que vale tanto para nós, como profissionais, quanto para as empresas.

Ao longo das últimas décadas, as empresas, mundialmente falando, ficaram mais expostas. Existem algumas categorias de organizações: aquelas que só visam o lucro e não observam seus riscos; outras preocupadas com performance e esquecem do ser humano, ou seja, as partes interessadas; há também aquelas que conhecem seus riscos e não sabem como proceder; outras conhecem seus riscos e já estão trabalhando para prevenção. Os Estados Unidos e alguns países da Europa estão mais avançados em riscos e crises pela própria cultura, cobrança do consumidor e do governo.

A verdade é que, se sua empresa foi envolvida em uma crise, saiba que algum processo falhou. O gerenciamento de crise nas redes sociais são as últimas peças a serem derrubadas quando o dominó está de pé e alguém esbarra nele. Talvez este seja o parágrafo mais duro do livro, mas faz parte dos meus estudos dos últimos dez anos. E se a empresa não estiver disposta a olhar o todo, a rede social é somente uma pedrinha de gelo no meio do iceberg.

Me impressiona o número de crises em que o mundo esteve envolvido na última década. Ulrich Beck, pesquisador alemão que desenvolveu o conceito Sociedade de Risco e faleceu em 2015, tem razão. Há riscos que ainda são desconhecidos pela humanidade, outros estão esquecidos, ignorados ou vendados por aqueles que o cercam. Diante de tanta tecnologia e grandes estudos de diferentes setores, não podemos usar frases do tipo: não sabia, não observei, nem prestei atenção. Se há um risco, ele precisa ser cuidado, monitorado e observado por aqueles que são responsáveis por ele.

Precisamos nos unir para dizer basta às crises que envolvem a humanidade e o meio ambiente. Afinal, são eles os grandes prejudicados das próximas décadas.

Estou falando, além de crises de reputação e imagem, de crises tecnológicas, de privacidade, com violação de dados, ética, sociais, meio ambiente, de saúde, política, econômica, financeira e cultural. E tudo isso em escala mundial. O que antes estava fragmentado pela distância, se quebrou e tudo ficou muito próximo. Nem o fuso horário impede que as consequências sejam imediatas. Estamos conectados, tecnologicamente, por pessoas, aparelhos, pelo Google e todos os meios digitais. Simples assim.

Falando um pouco da minha linha de raciocínio de como tudo começou, e trazendo mais próximo da gestão das redes sociais, meu interesse em estudar temas referentes a crises organizacionais surgiu quando comecei a prestar atenção nos posicionamentos assumidos por diferentes organizações diante de algumas crises enfrentadas ao longo dos últimos anos.

O acompanhamento do desenrolar dos fatos, a cobertura realizada e a postura assumida pela mídia, assim como respostas positivas e outras negligentes fornecidas pelas organizações, me fizeram perceber o quanto uma análise qualitativa dos processos organizacionais ganha corpo em um momento de crise e poderia contribuir para uma abordagem mais aprofundada do tema.

Por meio das literaturas adequadas e processos de análise e observação, pude me aprofundar na pesquisa de gestão e gerenciamento de crise nos meios off-line e on-line. Posteriormente, direcionei minhas pesquisas das crises no universo das mídias sociais, que na era da sociedade da informação, o barulho se torna muito maior e enlouquecedor para as organizações diante de um cenário de tanta velocidade.

Nesta trajetória é extremamente claro que os processos de gestão de crise continuam os mesmos, porém deve-se considerar uma mídia pelo menos cem vezes mais dinâmica e veloz, que é a internet. O resultado deste livro é uma união entre pesquisa, análise de *cases*, observação, união dos conceitos de gestão e gerenciamento de crise e comunicação digital e muita leitura.

Quando falamos de crises, não podemos dissociar ao termo de riscos, pois ao mapear as ameaças do negócio é possível preveni-las e minimizá-las para que não gere uma crise.

Se antes o termo "risco" era utilizado majoritariamente na medicina, hoje é também empregado nas áreas de economia, finanças, saúde, meio ambiente, segurança, entre outras. Ulrick Beck (1999) destaca principalmente três riscos globais que requerem atenção:

1. Conflitos em torno da destruição ecológica decorrente do desenvolvimento industrial, como efeito estufa e alimentos geneticamente modificados;
2. Riscos relacionados com a pobreza, com a fome e a falta de habitação;
3. Riscos oriundos da ampla distribuição de armamentos e armas de destruição em massa, tais como as armas de fogo, terrorismo e bomba nuclear.

Como já dito antes, a preocupação de autores como Beck, Giddens e Bauman é a de que as consequências da modernidade são difíceis de prever, porém há a necessidade de se chamar a atenção para que a indústria reveja seus processos de produção, adotando elementos mais rigorosos de controle, revendo seus sistemas de gestão e trazendo os problemas para a discussão coletiva.

A comunicação se torna um fator fundamental nesse processo, pois o risco, ao se transformar em tema de discussão e reflexão, abre a possibilidade para o debate, o diálogo, a negociação e, por fim, para a busca de soluções, ou ao menos para a tentativa de se elaborar medidas de precaução.

O primeiro capítulo traz uma reflexão sobre a formação da opinião pública, que por meio das redes sociais contribui para a cobrança de medidas. Além disso, entender a origem e formação da opinião pública permite que gestores definam suas estratégias de comunicação com a apresentação de argumentos adequados para a organização. Lembrando que cada rede social possui uma peculiaridade que deve ser considerada ao definir uma comunicação.

A opinião pública nasce do debate, da troca de argumentos e informações entre um determinado grupo ou vários grupos de pessoas que se sentem concernidas pelas questões em pauta. A construção da opinião pública depende também dos posicionamentos assumidos pelas organizações e contribuições para as resoluções das crises. O resultado desse processo pode ser positivo ou negativo. A população pode ajudar na resolução dos problemas ou pode boicotar uma empresa, não consumindo seus produtos por se sentir lesada. Ao mesmo tempo, por meio da pressão exercida pela opinião pública (e também por alguns órgãos como a OMC), atitudes são tomadas: surgem leis e normas, por exemplo, em prol da defesa de animais ou mudanças de embalagem.

O segundo capítulo faz parte do início de todo processo de crise, que é a gestão de risco. Não dá para pensar somente em riscos digitais e ponto. Como já disse, precisamos pensar no todo: nos riscos internos e externos. O que pode afetar os objetivos da empresa? O que pode afetar os *stakeholders*? E o meio ambiente? Diante dos cenários mundiais, quais os fatores externos que podem atingir a organização? E, por fim, quais as consequências disso nos meios digitais? Trata-se de uma visão multidisciplinar e 360° que deve ser observada por todos que estão envolvidos nos processos organizacionais.

O terceiro capítulo é uma abordagem mais detalhada do que é uma crise e como elas nascem no meio digital e seus impactos. Na era da sociedade da informação, as crises nas redes sociais se originam de duas maneiras: ou elas nascem no próprio meio digital ganhando grandes proporções, ou elas se iniciam no universo off-line ganhando a força das redes sociais para repercutir o caso.

Por que se importar tanto com as crises de imagem?

As crises abalam sistemas financeiros, afetam o clima organizacional (ambiente corporativo em que se encontram os colaboradores), mexem com a estabilidade da produção e prejudicam a imagem e a reputação de empresas. A imagem é resultado não só de uma boa percepção e opinião dos públicos de interesse sobre as organizações, mas também de um crédito acumulado a partir de um processo de comunicação bem-sucedido.

Para conquistar uma reputação sólida, os gestores de comunicação organizacional terão de empreender o esforço de criar um planejamento estruturado e integrado que contemple a construção da identidade corporativa, que se estrutura em torno das mensagens propagadas de dentro para fora da empresa. O resultado do bom trabalho de construção da identidade gera imagem e, a longo prazo, reputação. Essa última está baseada na produção de reciprocidade e confiança. Este é o tema do quarto capítulo.

Também como novidade desta nova edição, trouxe o tema cultura, no quinto capítulo, que é construído por meio dos nossos valores, princípios éticos, nossa história, o que vivemos, nossa educação, o que foi passado de pais para filhos, por onde a gente vive e estamos inseridos. A partir da constituição do indivíduo, somos influenciados pela cultura enraizada do nosso país. Em seguida, somos inseridos pelos meios educacionais e na empresa em que trabalhamos. Uma empresa é construída por várias células de cultura e cabe a ela (por meio da alta gestão) determinar como vai pensar, agir, se posicionar e multiplicar. A cultura organizacional é a bussola de como a empresa se comportará diante de riscos e crises, seu modo de prevenção, contenção e seus esforços em não deixar acontecer. Não dá para conversar, ou desenvolver um plano, com uma empresa que não possui na sua essência a mitigação de vulnerabilidades. Entende por que o tema cabe por aqui?

O sexto capítulo é voltado totalmente para exemplificação de *cases* que ganharam destaque, ou que viraram *cases* históricos que servem para aprendizagem. Apontar uma empresa para ser *case* de um livro, não significa colocar o dedo na ferida e dizer o quanto errou. O objetivo é um olhar construtivo para que todos aprendam a partir das falhas. O aprendizado nasce dos erros.

Após se aprofundar nos *cases*, o caminho é ir para a prática. E agora, como construo o processo de gestão de crise nas redes sociais? Essa é a abordagem dada aos capítulos 7, 8 e 9. É importante destacar, como sempre coloco, que gestão de crise é diferente de gerenciamento. Indo para o lado da análise da palavra, gestão é todo trabalho prévio, que inclui toda a parte de planejamento. O gerenciamento é o ato de administrar, colocando em prática o que foi definido na gestão.

Não existe uma fórmula pronta de como deve ser feito esse processo, mas sabemos que requer estudo, análise, monitoramento e planejamento. As empresas buscam fórmulas mágicas que possam ser aplicadas facilmente. Alguns autores que pesquisam processos de gerenciamento de crises apresentam essas fórmulas, como se fosse possível realizar o planejamento e o gerenciamento sem um profissional especializado. Claro que as dicas ajudam e é melhor do que não fazer nada. A gestão de uma crise deve ser feita caso a caso e, geralmente, um modelo que serve para um, não serve para outro.

De acordo com a pesquisa feita, existem poucos estudos no mundo que retratam a gestão e o gerenciamento de crise de imagem na internet. No capítulo 7, o enfoque está direcionado na gestão de crise, que se divide em três etapas: *Issue Management*, Prevenção e Planejamento. De forma resumida e bem simples de entender, estas sequências são: identificação dos riscos, trabalho de prevenção, contenção e minimização dessas vulnerabilidades, para depois iniciar a fase de planejamento. Existe uma grande dúvida em como elaborar um manual de crise. Sabendo disso, este livro traz orientações de como construí-lo. Trata-se de um roteiro básico, pois o ideal é ter a orientação de um profissional.

Continuarei sempre enfatizando que estratégico é a empresa investir tempo, dinheiro e em profissional na fase de gestão de crise, pois o risco pode eclodir a qualquer momento e não saber como lidar pode levar a grandes consequências. Bom, mas se mesmo assim a crise ganhou força e sua marca está envolvida em um escândalo on-line, saiba gerenciá-la. Este é o direcionamento do capítulo 8, que aborda como identificar uma crise, seus primeiros passos e como contê-la, dando respostas certas, atuando com agilidade, transparência e com respeito ao *stakeholders* de uma organização.

Dizer que a crise passou é um desafio, pois ela pode retomar a qualquer momento. A internet traz a possibilidade de a crise voltar à discussão por conta do registro nos buscadores, ou seja, o Google registra e lembra. Uma marca, quando envolvida em um escândalo, é discutida nas mídias sociais e ganha as páginas de jornais e a audiência da TV, assim, fica registrado. Quando digitar o nome da empresa ou do produto no buscador, a crise aparecerá. Além de manter a atenção no assunto para não ganhar força, a tarefa é reconstruir a reputação da marca para que os diferenciais da empresa sejam evidenciados. Como? O capítulo 9 traz a resposta da eficácia do plano de comunicação digital para a reconstrução da marca.

Acredito que este livro seja importante para as pesquisas de comunicação corporativa. Reforça a ideia de que na era da sociedade do risco, mesclada com uma sociedade da informação, organizações não podem mais deixar de se comunicar corretamente. A comunicação para diferentes organizações precisa ser feita com planejamento e qualquer organização, independente do seu tamanho, deve ter consciência que não está imune a uma crise. Saber como lidar com riscos e crises é o caminho para se resguardar dos danos. E não podemos nos esquecer que um erro ou falha de comunicação pode significar um grande passo para a eclosão de uma crise, que será vista e discutida na esfera pública, espaço que agora tem a internet como um palco maior de discussões.

Boa leitura.

# CAIU NA REDE. E AGORA?

## Capítulo 1

# A FORÇA DA OPINIÃO PÚBLICA

Não dá para desvincular o tema opinião pública de comunicação. Não dá para estudar redes sociais sem entender como ela se origina, cria corpo e força dentro do universo digital. Nas minhas palestras e aulas, há aquele que sempre me olha diferente, questionando "onde ela quer chegar?". Há anos venho estudando e acompanhando estes movimentos de opinião pública para levantar e destruir marcas. O que é a força de um meme? Como as pessoas se organizam para manifestações? Como se engajam em torno de um tema? Simplesmente, por conta da toda poderosa opinião pública. Nas minhas pesquisas sobre comunicação organizacional, gestão e gerenciamento de crises, não dá para desmembrar uma coisa da outra, pois torna-se fundamental entender a formação da opinião pública, sua força e mobilização. E o quanto ela se organiza para repercutir assuntos polêmicos.

A meu ver, todos os gestores de organizações, públicas ou privadas, deveriam ter conhecimento sobre o processo de construção da opinião pública. Isso vale para os assuntos polêmicos ou temas que desejam ganhar a repercussão de forma positiva. Afinal, ter este conhecimento faz com que as estratégias sejam mais efetivas e tem-se consciência das consequências negativas de uma ação malsucedida.

Já estive em contato com diretores de empresa, donos e gestores de marketing que imaginam que seus atos não terão repercussão, que os assuntos ficarão trancados na sala, ou acham que por terem representatividade somente em um local, poucas pessoas se interessariam pelo o que faz e pelos seus princípios éticos. Estão enganados. A partir do momento que uma organização abre seu CNPJ está sujeita a mobilização da opinião pública, pois de alguma forma já está gerando comunicação e emitindo informações. Sendo assim, a partir daí, qualquer pessoa poderá emitir uma opinião sobre aquela recente organização. Tudo dependerá dos discursos apresentados, seus produtos, formas de atendimento, suas diversas atitudes etc.

Querendo ou não, as marcas geram opiniões no outro, percepções incontroláveis em torno de um produto, serviço e pós-venda. Isso vale para tudo. Se uma mulher vai na manicure, algo simples do dia a dia, e não gosta, ela já terá uma opinião sobre aquele serviço prestado, que pode ser disseminado para outra pessoa.

Mas afinal, como nasce esta opinião pública capaz de mover um negócio? Por que ela é de suma importância para um gestor que pouco entende dos fluxos comunicacionais? Para o assunto não ficar tão teórico, vou apontar as teorias por um viés mais prático para melhor entendimento.

Nas últimas décadas, os estudos de opinião pública ficaram concentrados na força e mobilização da imprensa, mas nos últimos anos, este retrato mudou e percebeu-se que a internet é um espaço livre e infinito para a troca de informações, argumentos e debates em tempo real. E ainda com a contribuição dos dispositivos móveis para validar a velocidade dos fatos.

Hoje, qualquer assunto, desde o mais polêmico até o mais simples, possui um ambiente para discussão. Vamos pegar um exemplo: o jogador de futebol X, do time Y, recebe uma proposta para jogar na Europa. À medida que os fatos vão sendo expostos – como por exemplo, quanto vai ganhar, que time vai jogar, suas perspectivas –, permite que o indivíduo discuta sobre aquele tema com o grupo de amigos, na empresa etc. Surge o debate: ele deve ou não ir? "Mas ele vai ganhar muito dinheiro". "É bom que ele vá para liberar o nosso time para ganhar o campeonato". "Mas ele está sendo antiético, o time ajudou ele se tornar um craque, e agora, ele quer ganhar dinheiro na Europa". Este debate futebolístico está dentro da realidade masculina por assistir isso de perto quase diariamente, mas perceba as exposições de argumentos de cada frase.

Imagine um exemplo deste debate neste outro assunto: uma marca de cosméticos traz uma campanha (tevê, rádio, jornais, revistas, banner de internet e demais mídias digitais) com enfoque sobre o amor de duas pessoas do mesmo sexo. Um grupo de senhoras falará: "É um absurdo e uma falta de vergonha incentivar o homossexualismo como se fosse normal". Outras senhorinhas dirão: "Essas são as novas formas de amor do novo século". Um grupo de mães falará: "Não devemos deixar nossas crianças verem e terem acesso a esta campanha". Outro grupo de pessoas, com um posicionamento neutro, fala: "Vivemos em um país livre no qual cada um faz o que deseja". "O importante é ser feliz". "É necessário que as marcas retratem este tipo de assunto para que diminua a discriminação e trate o tema normalmente". O movimento de ativistas em defesa de gays irá a público para falar que "a homossexualidade é um assunto do cotidiano e o novo século traz novas formas de amor". Vem o presidente da República, polêmico, nada adepto ao caso, engajado nas redes sociais e se posiciona contra este tipo de campanha, trazendo mais força ao caso e disseminando na imprensa. A repercussão fará que em todos os ambientes o assunto esteja à tona por diferentes tipos de pessoas sob ângulos diversos.

Perceba que nestas simulações de pontos de vista, existe um determinado grupo debatendo o assunto de acordo com sua perspectiva, suas crenças, no que acredita, no que viveu, sua base de educação, seu grupo de amigos, sua cultura, seus valores morais e princípios éticos. São fatores que determinam a defesa ou a acusação de um assunto. Evidenciar isso faz com que o debate seja entendido pelo outro, ou pelo menos uma tentativa de entendimento para que o espaço discursivo seja sadio.

Na construção da opinião pública, não existe certo ou errado. E está aí a beleza de realizar a exposição de uma opinião. Quando uma pessoa discorda do meu ponto de vista, trazendo um argumento convincente, embasado com dados e respaldado com estudos, confesso que eu adoro, pois me dá a chance de entender e observar novos viés. E a partir da minha opinião, eu complemento com a de outra pessoa, e tenho acesso a novos argumentos. Ou não, dependendo do assunto abordado. E tudo certo também.

A partir de um debate, os argumentos individuais são expostos em um determinado grupo – seja ele em uma associação, sindicato, empresa onde trabalha, roda de amigos, na mesa do jantar. A exposição dos argumentos permite que outros tirem novas conclusões, gerando uma nova opinião, que quando exposta pode gerar outros argumentos naquele mesmo espaço. O ciclo pode ser constante, ter fim ou não. O espaço onde a opinião pública ganha relevância é o que os estudiosos, como Habermas (1997), chamam de esfera pública. Não se trata de um espaço físico, mas o ambiente no qual acontece o debate. Para um mesmo tema, podem existir diferentes esferas públicas de acordo com a perspectiva de interesse. A esfera pública se forma quando o tema é de interesse de um determinado grupo, que pode ser formado por uma turma pequena ou centenas de pessoas, ou estarem em grupos diferentes, porém tratando do mesmo assunto.

Alguns autores dividem a opinião pública em duas: a grande opinião pública – formada por todas as pessoas, ou seja, sociedade; ou a pequena opinião pública, que inclui pessoas interessadas e ligadas a uma organização. Seriam os *stakeholders* – públicos de interesse e que mantêm um relacionamento, como colaboradores, consumidores, acionistas, fornecedores, distribuidores, revendedores, comunidades, governo, associações, sindicatos, etc.

A opinião pública possui algumas características: é formada por um grupo para debater um assunto de interesse coletivo; se faz necessário ouvir a exposição do argumento do outro; não pode haver ofensas; é fundamental o processo de interação e que se busque um consenso. É importante mencionar que não dá para formar a opinião pública se não houver a interação e a troca de ideias com uma outra pessoa ou grupo, pois, pelo contrário, estamos falando apenas de uma opinião particular.

A importância da opinião pública é ativar o debate, discutir o assunto, observando diferentes interesses para chegar a um consenso comum e que agrade o maior número de pessoas. O resultado disso permitirá mudanças de atitudes, regras, normas etc. para atingir uma melhoria ou uma vontade de uma população.

A prática comunicacional é importante para a formação da opinião pública, em especial com o público presente – por meio de reuniões, organizações, foros etc. –, mas também marcado pela presença virtual de pessoas situadas em locais distantes, o que permite um número maior de participantes.

## Opinião pública e a imprensa

E onde fica a mídia neste processo de opinião pública? Ela torna-se relevante para expor os posicionamentos dos envolvidos e permitir as interações de debate da esfera pública.

A imprensa tem a função de expor os argumentos de determinados grupos, sem manipular ou expor sua opinião. A imprensa é considerada um órgão da opinião pública por evidenciar informações e debates de interesse comum. A mídia pode ser considerada o quarto poder, de tão forte que é sua influência. A formação da opinião pública precisa da existência da mídia para que informações sejam trocadas e publicadas, e assim o maior número de pessoas possa ter acesso à informação de seu interesse.

O objetivo da imprensa é abastecer o debate público sobre fatos e novas informações, como também dar subsídios para pensar, julgar e formular entendimentos sobre temas de interesse. O direcionamento das informações é dado pelo corpo diretivo, que determina a linha editorial que seguirá e a melhor abordagem. A mídia produz notícias relevantes que impactam e influenciam o maior número de pessoas, ou seja, que integram e estimulam o processo de construção da opinião pública.

Além da imprensa, os meios de difusão da opinião pública são associações, reuniões, demonstrações de rua ou praça, festividades ou outras ocasiões em que grupos estejam reunidos. Pode ser inclusive a mesa de um bar em reuniões com os amigos, ou um chá da tarde na casa das amigas.

É como se colocasse os argumentos dos grupos de interesse daquele assunto, ou pelo menos dos principais, em um mural. Por conta disso, em uma matéria o leitor vê: segundo o presidente; ou de acordo com o Instituto X; ou as palavras de uma pessoa importante naquele assunto. Trata-se da exposição dos argumentos de partes envolvidas. Esta é a função de um jornalista ao realizar sua matéria e expor ao público diferentes versões sobre um caso. Aqui, entre nós: não vamos entrar na discussão se a grande imprensa exerce ou não esta função, se existe ou não imparcialidade, pois este tema rende outro livro. Quero mostrar que essa é a teoria apontada pelas escolas de jornalismo.

Você com certeza também vai me questionar que a opinião pública não possui voz em assunto de interesse do governo e política pela realidade em que se encontra. Posso afirmar que uma grande parte dos temas em votação no Congresso passa por uma análise da opinião pública. E quando o povo não concorda, em alguns casos, é possível adaptar uma lei ou até mesmo não sancioná-la, por exemplo. Há políticos que ainda fazem votação nas enquetes do Instagram para dar oportunidade de o povo participar. Há ainda possibilidade de acompanhar uma votação ao vivo e observar a repercussão.

## As empresas devem levar em consideração a opinião pública

As empresas também são influenciadas diretamente pela opinião pública, pois graças ao resultado do debate, colaboradores criam confiança, acionistas investem nessa ou naquela empresa, profissionais criam desejo de trabalhar naquela empresa.

Vendo por outro lado, por meio da opinião pública, produtos são tirados do mercado, surgem leis de fiscalização, controle de produção, defesa dos animais, entre outras medidas oriundas do debate na esfera pública. Sendo assim, as crises sofrem o poder direto da opinião pública, que por sua vez tem a força inclusive de boicotar uma empresa ao se sentir lesada ou traída quando uma ação fora de controle acontece.

Afirmo que a força da opinião pública é a grande mobilizadora capaz de retirar um produto das prateiras, solicitar um *recall* ou impedir sua comercialização. Indo na mesma linha de raciocínio de debate da opinião pública, vou citar um exemplo de como surge uma repercussão envolvendo uma organização. Uma empresa de bolsa e sapato decide lançar uma coleção com pele de coelho, uma tendência de moda em Nova York. Um grupo de ativistas em defesa dos animais e pessoas que defendem os animais afirma: "Esta empresa visa ao lucro sem respeitar a vida de um animal". Outro grupo de mulheres pode argumentar que "não deixará de comprar da marca e que isso não fará diferença". Lembrando que no processo de opinião pública não existe certo nem errado, existe exposição de argumentos, e cada um tira sua conclusão.

Os americanos, pela sua própria história e educação, possuem um engajamento diferenciado de outros locais do mundo. Por exemplo, quando uma empresa não age corretamente, os consumidores boicotam e deixam de comprar o produto até o momento que a empresa tome atitudes que venham de encontro com a filosofia do consumidor. Este é um dos motivos por que as crises são levadas mais a sério pelas organizações dos Estados Unidos. Lá, o tema é mais amadurecido, existem mais pesquisas, bibliografias, cursos e as próprias organizações consideram fundamentais mapear riscos e se preparar caso uma crise venha acontecer.

Você sabe o que está sendo falado da sua empresa neste momento? Será que o produto que você lançou no mercado gera repercussão? Você conhece as reclamações? Se importa com o que estão falando de você? A empresa está disposta a saber? Mudaria um processo produtivo para não afetar um determinado grupo? Ou para não afetar os valores morais do seu público? Toma conhecimento da origem da matéria-prima e se os seus fornecedores agem dentro dos princípios éticos de produção não utilizando mão de obra escrava ou infantil, por exemplo? Conhece a opinião do consumidor na região Sul ou no extremo norte do Brasil? Independente se uma organização caiu nos holofotes da imprensa, ela deve conhecer o que estão falando da sua marca e, principalmente, os riscos do seu negócio. Poucas empresas têm essa consciência e preocupação com o seu consumidor.

Entender como se forma a opinião pública permite que as organizações alimentem o debate de forma construtiva, dando pílulas de argumentos para a construção da sua imagem e reputação. Tal construção precisa ser feita estrategicamente, afinal reputação também pode ser negativa.

Quando uma crise aparece, grupos se formam ou se reúnem – em casos já existentes – para que atitudes sejam tomadas e viabilizadas. As próprias organizações devem estar engajadas e preparadas para o debate na busca de soluções e esclarecimentos a diferentes públicos. Por meio do debate e da opinião publicada, organizações se mobilizam para as soluções.

Dependendo das respostas dadas pela organização, o público debate os fatos, a imprensa publica as versões da história e novos julgamentos são feitos para se chegar a uma conclusão positiva ou negativa.

É importante também não confundir opinião pública com pesquisa de opinião. Habermas sinaliza o cuidado que se deve ter com o termo "opinião pública", pois se confunde com pesquisas de opinião. "A pesquisa de opinião pode fornecer um certo reflexo da opinião pública, se o levantamento for precedido por uma formação da opinião pública através de temas específicos, num espaço público mobilizado." [1]

Então que já fique claro que quando o apresentador de um telejornal falar: "De acordo com uma pesquisa de opinião pública, o candidato XYZ lidera com 43% dos votos válidos", já saiba que os temos estão errados. Este tipo de pesquisa é chamada de quantitativa, pois pega-se uma amostra de 2 mil pessoas, por exemplo, da classe ABCD, de diferentes regiões, sendo questionadas em quem elas vão votar. Não houve um processo de debate, no qual apresentou-se argumentos e levou um período para um consenso.

## A opinião pública nas redes sociais

A opinião pública também acompanhou as tendências. O capitalismo, junto com a globalização, trouxe os avanços da tecnologia, da comunicação e, integrando tudo isso, a velocidade da informação. Claro que contar isso para você não é novidade, mas tais fatores influenciam o modo de como as pessoas se comunicam, se informam, trocam experiências, realizam debates e, claro, constroem a opinião pública.

1 HABERMAS, 1997, p. 94.

Quando o boom da internet se deu em meados dos anos 1990, no qual a grande novidade era acessar notícias e ter e-mails para trocas de mensagens, poucas pessoas imaginavam para onde iríamos caminhar. Também no meio do caminho surgiram "modinhas" que eram importantes para aquele momento, e depois desapareceram ou se evoluíram, como foi o caso do mensageiro ICQ. Na época, conversar com uma pessoa em qualquer lugar no mundo, no qual o próprio buscador selecionava de acordo com os interesses em comum, era a maior novidade. Olha que ele não tinha nem os recursos de vídeo e fazia um grande sucesso.

Serviços de internet surgiram, foram embora, vieram outros, se estabeleceram no mercado e assim consecutivamente. As redes sociais têm acompanhado as necessidades dos consumidores e desenvolvido novas plataformas, atividades e serviços. Paralelo a tudo isso, os celulares estão cada vez mais modernos, com processadores com muita capacidade, câmera de alta definição para fotografias e vídeos, aplicativos mais interativos, e as operadoras entregando mais dados do que nunca. A união dos bons celulares, evolução das redes e a capacidade de internet móvel permitem realizar transmissões ao vivo. Em outras palavras, os cidadãos estão mais digitais do que nunca.

É interessante mencionar a convergência de mídia com a influência da Web. Isso é percebido claramente na relação TV e mídias sociais. Um exemplo: à medida que a programação da TV Globo vai seguindo, o debate vai surgindo nas redes sociais. Começa o Jornal Nacional com as notícias relevantes do dia, as redes já começam a comentar, e os próprios apresentadores e repórteres estimulam o debate das matérias. Isso é muito claro dos assuntos debatidos por volta das 20h15 e 21h de segunda a sábado. Vem a repercussão da economia, uma posição de um partido político ou uma nova medida do governo. Todos passam a participar e debater. Logo em seguida, vem a novela das oito (que na verdade passa por volta das 21h), cessa o debate das notícias do dia, e entra um outro ritmo de debate com um tom de entretenimento. A vilã vai matar ou não a protagonista? Olha a gafe cometida pelo personagem etc. Estes exemplos servem para demonstrar na prática como funciona a convergência de mídia.

Esta convergência também está presente nos jornais, um meio totalmente off-line, mas que aborda as mensagens das redes mais relevantes do dia anterior sobre um determinado assunto. Há jornais que trazem uma seção exclusiva. As rádios também entraram na convergência e transmitem seus programas ao vivo com a interação direta dos ouvintes por intermédio das mídias sociais. Um exemplo: "@radioxyz, Avenida 23 de maio engarrafada no sentido Centro" é uma maneira de trazer uma informação relevante para outros ouvintes no momento que o fato está acontecendo. Ou de realizar uma pergunta para um entrevistado ao vivo "@radioxyz, quais os planos que o ministro tem para a duplicação das rodovias federais?". Trata-se da permissão de participar e se envolver com assuntos de interesse da população.

A tecnologia favoreceu a opinião pública no sentido de dar voz e importância a cada opinião emitida por cada indivíduo. Permitiu o engajamento cívico, dando o direito de todas as pessoas a participarem do debate, independente de onde elas estejam e qual grupo de interesse frequentem. As redes sociais trouxeram um grande bem, que é a possibilidade de mobilização por uma causa com o objetivo de trazer medidas sobre determinado assunto. Estes fatores importantes para a sociedade, que chamamos de engajamento, participação e mobilização, foram perdidos ao longo dos últimos trinta anos. Ao analisar a história política brasileira, os jovens da década de 1960, 1970 e 1980, que vivenciaram a ditadura, não temiam brigar pelas condições políticas vividas naquela época. Não se importavam em apanhar ou ser preso, pois o principal objetivo era falar abertamente da corrupção, inflação, falta de democracia etc.

Por conta da força das mídias digitais, o brasileiro aprendeu ou reaprendeu, dependendo do ponto de vista, a ir para as ruas reivindicar direitos. Mídias sociais, opinião pública e engajamento cívico tiveram um ponto marcante nas manifestações de 2013. No dia 6 de junho, um grupo de jovens do Movimento Passe Livre foi reivindicar o aumento de R$ 0,20 no preço das passagens de ônibus. O ato se transformou em uma série de reinvindicações.

Por que as manifestações ganharam força? Organização nas redes sociais; despreparo da polícia na atuação com os jovens; o próprio aumento em si; o debate em torno das insatisfações dos brasileiros frente a outros temas que iam além de transporte. As pessoas começaram a reivindicar não somente os vinte centavos, mas melhores condições nos hospitais, reforma política, superfaturamento dos estádios de futebol para a Copa de 2014 etc. As frases nas ruas e nas redes eram "Não é só pelos R$ 0,20". Bom, o movimento de insatisfação não ficou somente na cidade de São Paulo, mas outras cidades, incluindo o interior, aderiram a mobilização. As manifestações de 2013 se tornaram um marco pela maior sequência de protestos desde o movimento político Fora Collor. Tudo graças às mídias sociais, em especial ao Facebook e ao Twitter – as duas redes mais fortes do momento.

---

Depois de mostrar que as mídias digitais tinham poder, as pessoas aprenderam a se organizar em busca de uma mudança de atitude e cobrar medidas. Uma série de manifestações aconteceram de lá para cá, e creio que é um movimento que não deve mais parar. No ano seguinte, em 2014, um grande debate em torno de política ganhou o palco da internet. Por um lado, é muito bom, pois permite que todos entrem para o debate político. Por outro, abre espaço para as *fake news* – notícias falsas disseminadas, que fazem com que o outro acredite.

As redes sociais permitem uma interação em tempo real, no qual uma ação do outro lado do mundo possui repercussão. É uma característica típica da globalização, em que o avanço das tecnologias trouxe este imediatismo às comunicações. Os dispositivos via celular e o WhatsApp – ferramenta de mensagem que possui esta função de imediatismo, perdendo o limite de tempo e espaço –, contribuíram para o "aqui-e-agora". Com estes fatores, política, economia e outros assuntos relevantes do dia a dia ganham destaque e repercussão por diferentes públicos, mundialmente falando.

As redes sociais também têm estado presentes em locais onde poucos podem falar, mas que ganharam vozes por meio delas. No mundo árabe, iniciou-se pela Tunísia uma revolução pela internet, por meio das redes sociais. A Revolução de Jasmin (ou Revolução da Tunísia), derrubou o ditador do país, depois ajudou nas manifestações no Egito, pôs fogo na Líbia, Irã e Síria. Enfim, tudo isso via internet, tudo organizado por meio das redes sociais.

## Novo jornalismo

Desde a virada do século, o mundo digital já prometia sua revolução, mudanças em comportamentos e hábitos para qualquer indivíduo e organização. As mídias começaram a se transformar e se modificar. Surge um novo jornalismo, capaz de dar notícia quase em tempo real. Apesar do amadurecimento, o jornalismo ainda está se adaptando e estudando como deve ser a linguagem, a forma e o estilo do texto. Estamos falando de uma nova mídia e não dá para adequar a mesma linguagem de um jornal ou revista, na internet. O público e o dispositivo são diferentes e a dinamicidade também é outra.

Os jornalistas da era digital, ou melhor, os novos emissores de informação, possuem responsabilidades mais severas. A apuração da notícia e sua conferência – duas bases fundamentais do jornalismo – precisam ser mais sofisticadas, pois uma informação errada e mal checada pode comprometer a vida de um indivíduo e de uma organização. E ainda trazer consequências difíceis de reverter. Há casos de pessoas que foram acusadas, injustamente, pelas mídias digitais e espancadas na rua.

Isso me faz lembrar o caso da Escola Base,[2] que foi condenada pela opinião pública por conta de uma *fake news*. Trata-se de um caso histórico com muitos aprendizados, que mesmo não tendo a força

2 BAYER; AQUINO, 2014.

das mídias sociais, tem muito o que ensinar. Resumindo o caso: em 1994, uma escola infantil do bairro da Aclimação foi notícia nacional. Um aluno de quatro anos relata para mãe atos sexuais vindos da escola. A mãe conta o caso a outras mães que fazem uma denúncia na delegacia. O delegado promete uma notícia exclusiva a um repórter do (extinto) Diário Popular. A partir daquela notícia, outros jornais trouxeram o caso, sem evidências concretas. A repercussão chegou ao Jornal Nacional. O delegado ganhou holofotes, passou a ser a fonte oficial da imprensa e sem ouvir o outro lado da história, seis pessoas da Escola Base foram acusadas como culpados por pedofilia, drogar os alunos e fotografar as crianças, nuas e expostos na mídia antes de uma investigação conclusiva. A escola foi depredada e pichada pela população, e os suspeitos tiveram que se esconder para não serem reconhecidos e agredidos. O caso foi encaminhado a outra delegacia e, para piorar os fatos, dois enganos foram cometidos pela polícia. Ao errar o número da casa de 23 para 93, prendeu um americano por nove dias, que não tinha ligação alguma e nem conhecia os acusados. Foi quando os acusados decidiram falar com um repórter da TV Cultura e expor sua versão. Depois de tanto apelo em torno do caso, por parte da polícia, imprensa e da opinião pública, com histórias de crianças abusadas e que nem sabiam o que estavam acontecendo. A partir de informações infundadas, durante dias, repórteres passaram a apurar a notícia e buscar informações com especialistas. Até hoje, os acusados não voltaram à vida normal, desenvolveram problemas de saúde e financeiros.

---

Por que citar o caso da Escola Base, em um período pré-internet, na qual as mídias sociais nem imaginavam surgir? Este é um episódio que virou *case* para os cursos de jornalismo. O caso é exemplo típico de *fake news*, no qual informações equivocadas, mal apuradas, com apelo emocional, ganham o palco do debate e da opinião pública. Se este caso acontecesse na era da internet, as consequências seriam muito piores para os acusados. Nos mostra o quanto que a *fake news* pode trazer danos a vida de alguém e expor negativamente a imagem de um negócio, sem ter a chance de recuperação.

Vou dar um exemplo, que muitos de vocês devem ter acompanhado de perto ou devem se lembrar muito bem. A queda do avião da TAM, voo JJ3054, no dia 17 de julho de 2007, demonstra a irresponsabilidade do jornalismo on-line. Nas seis horas que sucederam o acidente, as informações eram tão desencontradas que o número de mortos – tanto os que estavam dentro do voo, quanto os que estavam no prédio da TAM onde teve a colisão – variavam. Na busca pelo furo jornalístico, cada site falava uma coisa, sem se ater que atrás daquela notícia havia famílias desesperadas querendo saber se seu parente ou amigo estava ou não dentro do prédio ou do avião.

A queda do avião da TAM também foi representativa (apesar da tragédia) para demonstrar a força dos celulares e câmeras digitais de pessoas que estavam ali próximas e registraram os fatos, assumindo o papel de repórteres. Com os recursos tecnológicos, os cidadãos querem registrar o que está acontecendo, em especial situações de interesse público. Esta participação do público emitindo informação é o que alguns autores chamam de jornalismo cidadão. Não significa que tais emissores de informação ocuparão o espaço do jornalismo tradicional, mas significa uma contribuição para que o maior número de acontecimentos seja de conhecimento de todos.

Junto com a evolução do jornalismo digital, temos que apontar a possibilidade de o leitor emitir sua opinião sobre uma notícia. Perceba que nos portais, blogs e fóruns há um espaço para colocar seu comentário. Conforme vimos anteriormente, concorda que isto é a possibilidade de as pessoas debaterem sobre um determinado assunto, independente de onde elas estejam? Então dentro destas teorias, estamos falando que é um espaço de opinião pública, no qual todos podem ler as repercussões como se estivessem em um grande mural.

Mais do que nunca, a imprensa tem se pautado por meio da repercussão das redes sociais, ou seja, assuntos que são mais debatidos ganham as páginas dos jornais. As mídias sociais também têm trazido atores relevantes para participar de tais matérias, que é o que a imprensa chama de fonte.

## Conceitos e diferenças nas mídias sociais

Para alimentar as informações nas redes sociais, o gestor de comunicação, marketing ou o diretor geral da organização, especializado nas estratégias e plano de ação, deve conhecer as diferentes redes sociais e como elas podem influenciar e contribuir para o seu negócio. Há organizações que pensam que o ideal é escrever uma única mensagem e depois dar um copiar e colar em cada mídia social para que a comunicação digital seja estabelecida. Este é um dos grandes erros estratégicos. Cada rede possui seu público, linguagem, formato, estilo, atratividade e tom de voz.

Conheça a seguir as principais redes sociais e saiba como proceder em cada uma delas:

### *Blogs*

No princípio de participar dentro de uma notícia, temos a presença dos blogs. É como se cada um decidisse abrir o seu próprio jornal, onde quem define o cunho editorial é você. Não é necessário dar satisfação para alguém e nem se preocupar se vai agradar ou não o leitor. Exponha sua opinião e deixe livre acesso para quem quiser ler.

Tamanha a força dos blogs que hoje as organizações já os contemplam como importantes emissores de informação e os incluíram em suas estratégias de comunicação. Alguns deles possuem audiência cativa sobre assuntos segmentados, como por exemplo, maquiagem, como cuidar de um recém-nascido, educação financeira, sustentabilidade, como administrar uma pequena empresa e cuidar do corpo. São inúmeros os blogs com assuntos segmentados e feitos por pessoas que muitas vezes nem são jornalistas ou de outra área da comunicação, mas que estão ali para se expressar livremente sobre um tema de seu interesse.

Para abrir um blog é simples: faça o login gratuitamente (existem diferentes serviços como WordPress e Blogger), escolha o layout e demais detalhes de design, tenha em mãos o tema que deseja, disponibilidade de alimentar aquele canal de informação e inicie seu próprio jornal virtual no qual você é o principal articulista. O blog é um exemplo claro de que estamos na era em que todos possuem poder de se expressar livremente e cabe às organizações se atentarem para esta tendência, pois o posicionamento de uma empresa ou instituição pode ser a pauta da vez com efeitos multiplicadores.

Além de uma pessoa poder abrir seu canal, as organizações também passaram a ser fontes oficiais da sua área de atuação. Há organizações que têm trazido os blogs para dentro dos seus canais para demonstrar ao público autoridade no assunto, atraí-lo por meio de conteúdo relevante, manter o site atualizado e otimizar o site para busca no Google. Quanto mais você publica conteúdo relevante, mais seu site sobe no ranking de busca do Google.

Ao mesmo tempo em que as empresas ganham mais espaço para se comunicar, emitindo informações oficiais, elas criam canais de posicionamentos e emissão dos seus discursos. Ao colocar um texto no seu site, você está criando um discurso em torno do assunto e colocando um argumento oficial para o público, que pode contribuir para a formação da opinião pública. Isso significa que, se não for estrategicamente planejado e calculado, pode se tornar mais um espaço de discussão negativo para a marca. Por que o cuidado? É muito comum o dono ou diretor da empresa, por conhecer um determinado assunto do setor, querer escrever artigos para o site. Sem uma formação adequada e com a ausência de um planejamento de comunicação digital, pode criar uma crise e trazer uma grande repercussão.

## *Redes sociais na internet*

Paralelamente aos blogs, as redes sociais já foram incorporadas no nosso cotidiano como um meio de levar uma mensagem de uma ponta a outra, com retornos imediatos e em tempo real, tanto nas mensagens abertas quanto nas fechadas (*inbox*).

Para trazer um pouco de conceito e entender com profundidade o assunto, estamos falando de redes sociais na internet, pois um dia me perguntaram: "Patrícia, qual é a primeira rede social no Brasil?" Eu não quis ser a chata teórica, mas as redes sociais são formadas por um agrupamento de pessoas ou organizações, que se unem com um objetivo comum, para estabelecer relacionamento e debater assuntos de interesse, mesmo que sejam temas com pouca importância. Sendo assim, as redes sociais existem há muito tempo e estão presentes nos clubes, sindicatos, reuniões de pais etc. A igreja, por exemplo, é uma grande rede social.

Dentro dos conceitos de redes sociais, você verá termos que fazem parte da sua essência como laços fortes, laços fracos e capital social. Para você entender melhor, laços fortes são determinados pela intensidade da relação estabelecida com os atores envolvidos, conquistada com confiança, tempo de relação e com nível de interação, sem considerar atributos como sexo, idade, classe social, religião etc. Os laços fracos são manifestados pelas pessoas que estão presentes naquela rede, porém não possuem um relacionamento estreito, profundo e com interações contínuas. Isso independe da afinidade que têm ou não com aquelas pessoa, mas sim pelo nível de relação. O capital social é o resultado obtido pelas interações dos indivíduos.

É importante entender as características e conceitos das redes sociais para que você saiba lidar corretamente. O termo "rede social" foi mais bem difundido com a internet, pois permitiu uma maior interação entre as pessoas do mundo, independentemente do idioma, localização e suas preferências.

Então posso dizer que a tecnologia permitiu que as pessoas assumam um caráter participativo. Elas presenciam um fato positivo ou negativo, registram e transmitem para outros, que dão seu posicionamento sobre aquela situação e que, aos poucos, vão envolvendo outras.

Dentro do conceito de redes sociais, elas podem funcionar dentro das redes de relacionamento, redes profissionais, redes comunitárias (do bairro), redes políticas etc. e cada uma dentro das suas características. Facebook, Instagram, Linkedin, Twitter, YouTube são as principais redes sociais e com poder de multiplicação.

## *Facebook*

Quando falamos de Facebook devemos considerar o Grupo Facebook, que possui várias redes, e a rede social Facebook em si. Vamos por partes.

Originalmente, a rede nasceu pelas mãos dos ex-estudantes da Universidade de Harvard, Mark Zuckerberg, Dustin Moskovitz, Eduardo Saverin e Chris Hughes. Inicialmente, foi uma criação feita para atender os estudantes de Harvard, e depois expandida para o Instituto de Tecnologia de Massachusetts, Universidade de Boston e Boston College e as escolas da Ivy League. Em 2005, outras universidades aderiram, mas somente poderiam ingressar com e-mails universitários, como *.edu,.ac,.uk*. Em 2006, a rede abriu para outros estudantes. O Facebook nasceu quando as pessoas já estavam inseridas no Orkut, mas buscavam algo mais surpreendente e engajador. O Orkut, que era do Google, perdeu espaço e foi descontinuado em 2014.

O destaque e o crescimento do Facebook diante do público deveram-se pela possibilidade de as pessoas poderem colocar seus *posts* pessoais com a possibilidade dos outros argumentarem, curtirem ou não aquela situação e compartilharem.

Trata-se de uma rede com maior aproximação e discussão de assuntos da vida pessoal do ser humano, permitindo expor o que é relevante: "Eu gosto de cachorro", "eu acho isso engraçado", "veja que notícia interessante", "eu gosto daquele bar ou restaurante" etc. Permite que as pessoas organizem festas, encontros, e façam convites pelo mesmo ambiente. E depois coloque as fotos do evento para todos acompanharem. Trata-se de uma rede na qual você dissemina a informação de forma mais rápida para a sua comunidade de amigos. O Facebook permite reunir no mesmo ambiente amigos e colegas da escola, do trabalho, da academia etc. para compartilhar momentos da vida pessoal, permitindo que se estreite a relação.

Quando se vai para o âmbito das organizações, o Facebook, a meu ver, é uma rede para falar com a população. Se você tem uma marca que fala com todos, em especial o varejo, o Facebook é um caminho para criar aproximação com o seu público final, de forma amigável e conquistando confiança na relação. Este é um dos objetivos das redes sociais, criar aproximação com confiança e reciprocidade.

Outro destaque do Facebook são os grupos, que possuem muita força. Há grupos ativos de diferentes temas, que funcionam muito bem. Vale também destacar o Messenger, o programa de mensagens fechadas, que permite texto, imagens e fazer ligação de vídeo.

Apesar de muitos falarem da desaceleração do Facebook, a rede possui 2 bilhões[3] de usuários pelo mundo.

Pelo grupo Facebook, outras redes foram incorporadas: o Instagram (comprado em 2012) e o WhatsApp (2014), que ganharam força e graça dos usuários.

## *Instagram e Whatsapp*

O Instagram se tornou a rede queridinha de quem gosta de fotografia e vídeos e compartilhar momentos do dia a dia. Como evolução, trouxe para o cotidiano das pessoas o *stories*, na qual compartilha foto, vídeos e mensagens por 24 horas. Então, dentro da rede, se desenha entre *feed* e *stories*. No *feed*, tudo fica registrado no seu perfil, ou seja, seu mural com pequeno texto e imagem. E ainda há o IGTV, um outro serviço dentro da rede com o objetivo de aumentar o compartilhamento de vídeos mais longos. Os vídeos do *feed* são publicados com até um minuto. Vale destacar que tanto no Facebook, quanto no Instagram, é possível fazer vídeos ao vivo com direito a interação em tempo real. Em outras palavras, o usuário cria sua própria "rede de televisão" e entrega um conteúdo relevante para a sua própria audiência.

Com relação ao WhatsApp, originalmente foi criado para enviar e receber mensagens, usando a própria internet do celular. Foi o fim do SMS, que cobrava por mensagem enviada. A evolução do WhatsApp foi realizar ligação de voz e vídeo, ligação com mais de duas pessoas e criação de grupos. A partir do momento em que se cria um grupo, se cria um espaço para debater algo, se informar e formar opinião. Aí é onde mora o perigo.

Indo para os conceitos de riscos e crise, o WhatsApp, ao meu ver, é uma rede perigosa e silenciosa, pois não é possível monitorar (obviamente) por ser uma rede privada e é por onde se cria e dissemina muitas notícias falsas, o que pode demorar muito para desmentir ou se trazer um posicionamento. Existem, inclusive, empresas que disseminam informações falsas para se obter vantagem de alguma situação.

3 Facebook completa 15 anos com 2,3 bilhões de usuários, 2019.

As *fake news* via WhatsApp é um dos grandes riscos mundialmente falando e pode ser ferramenta de uma possível guerra da informação. A Organização das Nações Unidas (ONU) já tem debatido e tentado trazer uma consciência e responsabilidade para combater as *fake news*. Em outras palavras, uma preocupação e uma ameaça mundial.

## *Twitter*

Desenvolvido por Jack Dorsey em 2006, o Twitter é uma rede social na qual sua principal característica é o uso de *microblogging*, ou seja, o usuário deve responder "What is Happening?" (O que está acontecendo?). A rede ficou famosa pelo seu poder de síntese em 140 caracteres, ou seja, os chamados *tweets*. Em 2017, a rede dobrou para 280 caracteres por entender a necessidade do usuário.

Por meio do Twitter, uma mensagem postada pode ser replicada (tuitada) para outras pessoas, que podem tuitar para outros amigos, permitindo a disseminação da informação para um número maior de pessoas. O Twitter possui uma rapidez muito grande, e responder uma mensagem de três horas atrás, por exemplo, pode ser um atraso – dependendo do tema do debate – pela dinamicidade apresentada pela ferramenta.

A meu ver, o Twitter é um canal de opinião sobre diversos assuntos, que não sejam somente os seus pessoais. Aliás, não cabe muito bem no Twitter ficar detalhando sua vida pessoal. Pelas pesquisas, percebo que os tuiteiros gostam de debater assuntos relevantes e de interesse de um grupo maior. As pessoas se envolvem muito com o cenário político--econômico, financeiro, manchetes dos portais e, claro, as gafes do dia. Afinal, o assunto que rola por lá não é somente os sérios, existem as sacadas de humor, o que deixa o espaço mais descontraído.

No Twitter, as pessoas te seguem pelo seu assunto de interesse e não significa que elas te conheçam ou não pessoalmente.

## *LinkedIn*

No mercado desde 2003, o LinkedIn é uma rede social diferenciada, focada exclusivamente nos relacionamentos profissionais (*networking*) de contatos mais próximos como distantes, mas todos com o objetivo de trocas de conhecimento. Entre os destaques do LinkedIn está a possibilidade de as empresas buscarem profissionais, como também profissionais se candidatarem a vagas.

Além disso, o espaço dispõe de debates referentes à sua área de atuação. Isso permite com que tais profissionais acompanhem as tendências e as práticas aplicadas nos mercados.

No LinkedIn, não há espaço para exposição da vida pessoal, nem colocar fotos dos momentos de intimidade nos fins de semana. Lá, a dinâmica é outra e estreitamente ligada ao trabalho. Isso não faz com que a rede fique chata, mas focada em pessoas que queiram debater puramente assuntos profissionais.

## *Influenciadores como canais de informação*

Após falar das principais rede sociais, não dá para seguir em frente sem mencionar os influenciadores, que são grandes forças de emissão de informação dentro dos canais digitais, que possuem audiência própria, falam direto com o público e com grande capacidade de mudar a opinião do outro, comportamento, hábito, impulsionar compras e cobrar medidas de uma organização. Em cada rede, há um influenciador, e muitos deles têm força em mais de um canal.

Existem alguns tipos de influenciadores: 1 milhão de seguidores – celebridade; 500 a 1 milhão – mega influenciador; 100 mil a 500 mil – macro influenciador; 10 mil a 100 mil - micro influenciador; 1 mil a 10 mil – nano influenciador; até 1 mil – *everyday influencer.*

Eles têm um público fiel e engajado, possuem poder de alcance, relevância e engajamento. Uma das estratégias de comunicação digital é estabelecer parcerias com influenciadores para melhorar o engajamento da marca e despertar a identificação do público com a organização.

É importante mencionar que os influenciadores têm o poder de alavancar positivamente uma marca, como também falar mal delas ou iniciar uma crise. Em outras palavras, eles se tornam meios de disseminação de uma informação, influenciando o outro com relação a uma organização. Portanto, eles precisam entrar na estratégia de comunicação de crise antes de acontecer, durante e na reconstrução de uma marca.

## Como usar a opinião pública a seu favor

Cair na "boca" da opinião pública de forma positiva é o segredo que todos querem saber. Como já expliquei a origem da opinião pública, vamos seguir seus princípios para aplicá-la da melhor forma. Como dito anteriormente, a opinião pública é formada por um grupo de pessoas ligadas pelo mesmo objetivo, que tem como proposta expor seus argumentos, debatê-los, para que talvez novos pontos de vista surjam para chegar a uma conclusão. Tal debate pode ter fim ou não, e demorar dias ou meses. De qualquer maneira, resumidamente, a opinião pública parte do pressuposto da exposição do conjunto de argumentos.

As organizações, independente em que situação estejam – em crise ou não – devem abastecer a esfera pública, ambiente no qual a opinião pública se forma, com informações corretas, coerentes e estrategicamente construídas para que o público se abasteça de tais mensagens emitidas. Para abastecer a esfera pública, o segredo eficaz é um plano eficiente de comunicação. É importante que as notícias positivas das organizações também "caiam na boca do povo" e, para isso, precisam contar e envolver os públicos de interesse. Isso vale tanto para as redes sociais, como nos meios tradicionais da imprensa.

Talvez você me questione que notícia positiva não ganha a mesma repercussão que assuntos polêmicos. Concordo, mas não pode deixar de ser contada, pois são a partir das ações positivas que se constrói a identidade de uma marca, e consequentemente a sua imagem. Tais ações e notícias positivas se transformam em créditos para quando surgir uma crise, que a empresa poderá usar para que sua marca não saia arranhada. Mas este será o tema do próximo capítulo, como chegar à boa reputação de uma marca.

# Capítulo 2

# OS RISCOS NAS ORGANIZAÇÕES

Ao longo dos últimos anos de estudo, é mais estratégico pensar em risco do que em crise. Também percebo o quanto os gestores estão preocupados em como obter êxito em um momento de crise e se sair bem. Dificilmente uma empresa sairá ilesa, sem arranhões algum, na era atual, pois mesmo que seja de fato vítima, seu nome estará escancarado nas *timelines*, nas manchetes e será assunto no WhatsApp. Além disso, afeta a confiança, traz impactos financeiros, abala o clima organizacional e pode influenciar na operação.

Cuidar de crise é tenso, intenso, cheio de conflitos, com muitas informações desencontradas e uma desorganização sem fim. Então o que é mais estratégico? Cuidar da crise quando ela acontece? Se preparar para a crise antes de ela acontecer? Ou pensar nos seus riscos? São quatro perguntas, que apesar de iguais, possuem respostas diferentes.

Se tornaram tão importantes estas questões, de estudos e acontecimentos, que nesta edição fiz questão de trazer um capítulo separado dedicado aos riscos.

Quando o risco vem à tona, isso significa que todos os processos da organização falharam e não foram capazes ou eficazes de conter o problema para chegar ao resultado de uma crise, em especial quando se espirra nas redes sociais, permitindo que a informação tenha vazado, multiplicado e encontrado pessoas que multiplicassem o caso.

## Risco e crise

A verdade é que existe uma grande confusão na definição entre riscos e crises, ou compressão quando se inicia um e quando vai para outro. Para um melhor entendimento dos processos de gestão de crise, se faz necessário a definição dos conceitos e buscar na história um pouco o entendimento da sua origem. Existem diferentes literaturas em torno de risco, assim como diferentes disciplinas, como na tecnologia, administração, finanças e engenharia. Vou trazer o olhar da sociologia, que nos faz amadurecer sobre origem, movimentos e consequências da modernidade.

## O risco em si

O risco é uma ameaça latente a um indivíduo ou a uma organização, é um perigo sem controle, que pode se tornar concreto a qualquer momento. De acordo com o sociólogo alemão Ulrich Beck,[1] os riscos são reflexos da globalização, do excesso de industrialização, produzidos pelo próprio homem.

Os riscos são ameaças, cujas consequências são incertas, geradas pelo próprio capitalismo, no desejo de produzir mais e mais, sem ter controle ou noção de quais problemas podem decorrer para o mundo.

Vou explicar um pouco melhor os conceitos dos dois sociólogos, Beck e Giddens, pois eles têm sido fundamentais nos estudos que envolvem os riscos produzidos pela industrialização, ou seja, pelo homem, e despertam a possibilidade de desencadear crises. Para entender melhor, farei uma rápida análise econômica da história da humanidade.

A Revolução Industrial, que iniciou na Inglaterra em meados do século XVIII (1760), trouxe uma evolução de processos produtivos com mudanças significativas nos âmbitos sociais e econômicos. A tecnologia mostrou sua eficiência com várias invenções, por exemplo, as máquinas a vapor, que permitiram auxiliar o trabalho humano e, em alguns casos, até mesmo substituindo pessoas nas atividades mais

1 Autor que desenhou a teoria da Sociedade Global dos Riscos.

repetitivas. **Era o início da alta produção, do intenso consumo e da busca por lucros.**

A Revolução Industrial, que marca o fim do feudalismo e o início do capitalismo, se caracteriza por um processo de transformação acompanhado por notável evolução tecnológica.

Trata-se de uma fase de intensa transformação, que pode ser dividida em três passagens: no período de 1760 a 1850, a Revolução se restringe somente à Inglaterra, e neste período, prepondera a produção de bens de consumo, especialmente têxteis e a energia a vapor; entre 1850 a 1900, a Revolução ultrapassa fronteiras inglesas, atingindo a Europa, América e Ásia, Bélgica, França, Alemanha, Estados Unidos, Itália, Japão e Rússia. **Começa a desapontar a concorrência**, a indústria de bens de produção, as ferrovias, e as novas formas de energia, como a hidrelétrica e a derivada do petróleo. O transporte também se revoluciona, com a invenção da locomotiva e do barco a vapor. E de 1900 até hoje, surgem conglomerados industriais e multinacionais, **inicia-se a automatização da produção, surge a produção em série, explode a sociedade de consumo**, a indústria química e eletrônica, a engenharia genética, a robótica se desenvolvem significantemente. Nestes três períodos, o que se vê é um momento de grande transformação não somente para a indústria, mas principalmente novos hábitos, novas formas de trabalho, quebras de paradigmas, o que traz também muita revolta e problemas com a população. Afinal, trata-se de um período no qual migra-se a produção manufaturada, feita principalmente por famílias ou pequenas fábricas, para uma produção mais tecnológica, substituindo o homem por máquinas.

Quero fazer alguns comentários em torno dos grifos acima. A frase: "Era o início da alta produção, do intenso consumo e da busca por lucros" mostra claramente o início da falta de controle. As organizações querem aumentar a produção, por outro lado a população passa a ter o desejo de consumir mais e consequentemente as empresas percebem que o lucro traz ascensão para os donos do poder. Perceba a consequência, sociologicamente falando, dos movimentos em torno da sociedade. Naquele período, a população vivia em escassez, tudo era limitado e com poucas possibilidades. A partir do momento que abre novos caminhos, o ser humano quer experimentar o novo e melhorar de vida constantemente. Querem roupas novas, se vestir diferente, ter mais de uma opção de sapato, alimentos em abundância e, assim, surge um novo ser humano cheio de desejos. Se o empresário percebe um novo consumidor, ele começa a despertar o desejo de entrega, passa a produzir mais e mais e surge a necessidade do lucro. Afinal, esta é a consequência do aumento do lucro.

A partir do momento que surge o consumo e um resultado que deu certo, qual é o desencadeamento natural? O aparecimento da concorrência. A concorrência é uma oportunidade de melhorar constantemente, buscar o novo, o diferente, ser mais veloz e eficaz para não perder o seu lucro. Afinal, o consumidor é único e faz uma única compra, ou seja, há uma única oportunidade de compra. Por outro lado, ao surgir a concorrência, vem à tona as ameaças, pois a necessidade de velocidade faz com que se perca em alguns processos e controles.

No terceiro grifo acima "inicia-se a automatização da produção, surge a produção em série, explode a sociedade de consumo", percebe que é uma consequência de todo o processo mencionado anteriormente? O movimento se inicia em torno de 1800, e em 1900 já se vê um avanço concreto disso tudo. Algo não acontece de uma hora para a outra. São movimentos silenciosos, que trazem uma transformação e que, de alguma maneira, apresentam um resultado positivo e ao mesmo tempo negativo. De forma alguma, quero dizer que a modernidade não foi algo bom. Sim, é, mas, ao mesmo tempo, traz ameaças – muitas difíceis ainda de calcular.

## A partir do século XIX

Analisando o período mais próximo ao que vivemos, a partir do século XIX, o sistema econômico que passou a predominar foi o capitalismo, cuja força e ascensão se deu ao longo de todo o século, apesar de ter vivenciado guerras e revoluções ao redor do mundo.

Darei mais foco à fase mais recente do capitalismo: a globalização, que despontou com força no fim do século XX por meio do avanço das comunicações (em especial a internet), transportes e novas tecnologias. O industrialismo despontou despertando melhores condições de vida, o consumo e o direito de compartilhar produtos de outras localidades do mundo. Era o início do livre acesso e o direito de ir e vir facilmente.

A evolução da indústria, da tecnologia, dos transportes, dos meios de produção etc. era inevitável. A questão maior foi que o avanço do capitalismo trouxe riscos não mensuráveis, como ao meio ambiente, de produção e oriundos da falha humana. São as incertezas e a falta de controle pelo excesso de produção. Com o surgimento de novos meios de produção, novas formas de realizar um determinado trabalho, novas matérias-primas, etc. aparecem riscos não calculados, que serão percebidos em curto, médio ou longo período. Os riscos, na maioria dos casos, surgem pelo fato de não ter tido tempo suficiente, ou não ter dado prioridade, de mapear, analisar e pesquisar sobre suas consequências.

Quatro riscos globais precisam estar no radar das organizações:

1. Conflitos em torno da destruição ecológica decorrente do desenvolvimento industrial, como efeito estufa e alimentos geneticamente modificados;
2. Riscos relacionados com a pobreza, com a fome e a falta de habitação;
3. Riscos oriundos da ampla distribuição de armamentos e armas de destruição em massa, tais como as armas de fogo, terrorismo e bomba nuclear;
4. Crises financeiras econômicas mundiais – que impactam a economia mundial e, consequentemente, milhares de pessoas.

Entre os riscos globais citados por Beck, podemos destacar como exemplo e que requer atenção: poluição da camada de ozônio, efeito estufa, manipulação genética, transplante de órgãos, desaparecimento de espécies animais, diminuição dos recursos energéticos, intenso uso de agrotóxico e a contaminação de alimentos e água.

Após os problemas econômicos [crise dos alimentos (final de 2007 e início de 2008), crise da economia americana (final de 2008 e início de 2009) e a crise financeira da Europa em 2011], Beck tem apontado as crises financeiras econômicas mundiais – que impactam a economia mundial e, consequentemente, milhares de pessoas – como um quarto tipo de risco global. Aqui considera-se movimentos políticos e econômicos mundiais que afetam as bolsas de valores pelo mundo. Algumas decisões econômicas também podem trazer efeitos devastadores, como o caso da discussão da Inglaterra em torno do Brexit (junção das palavras *British* e *exit*, o que significa a saída do Reino Unido da comunidade da União Europeia).

A falta de controle gera vulnerabilidades em uma organização, ou seja, situações que são suscetíveis de ocorrer dentro de um negócio, tais como contaminação de alimentos, alimentos adulterados, má qualidade dos nutrientes, falta de controle dos processos e falhas humanas dentro do processo de produção. A concretização de vulnerabilidades, como essas, gera crises institucionais. Algumas empresas são mais vulneráveis do que outras a se envolver em uma crise.[2] São grupos de risco:

- Empresas ou ramos de atividade que têm vivido em crises;
- Empresas que atuam em áreas bastante controladas;
- Empresas que atuam na área de produtos farmacêuticos e de produtos alimentícios;
- Empresas que fabricam produtos suspeitos de provocar doenças;
- Empresas que lidam com dinheiro dos outros;
- Empresas cuja atividade ou operação passa pelo meio ambiente;
- Empresas que trabalham com matéria-prima de origem animal;
- Empresas que usam animais para pesquisa;
- Empresas com dificuldades financeiras;
- Empresas dirigidas por pessoas de alta exposição na mídia;

2 NEVES, 2002, p. 63-64.

- Empresas com rápido crescimento no mercado;
- Empresas líderes;
- Empresas sem código de ética;
- Empresas novas ou em áreas novas de atividade;
- Empresas sem boa política de recursos humanos;
- Empresas que não têm relacionamento externo;
- Empresas com alta rotatividade de pessoas;
- Empresas sem culturas de controle, qualidade e comunicação empresarial;
- Empresas sem área ou visão estratégica em torno de gestão de risco e gestão de crise.

Com as características da globalização, os riscos que antes estavam somente em âmbito local, ultrapassam fronteiras de espaço, tempo e das redes de comunicação, e ganham escalas mundiais. Ou ameaças de outras localidades do mundo podem afetar seu negócio, diretamente ou indiretamente.

A diferença dos riscos no século XX e XXI é que a repercussão e os problemas são maiores, e quando desencadeados geram uma crise de grandes consequências, tanto para a população, como para as organizações. No que tange as organizações, na era atual, a repercussão ganha, em questão de minutos, escala mundial.

A globalização também trouxe a sociedade da informação, ou seja, as pessoas estão mais conectadas e são emissoras e retransmissoras de informações, mundialmente falando. Além disso, a maioria dos locais do mundo está interligada na rede. Como visto no capítulo 1, as pessoas passam a ter vozes representativas com a internet e com um grande poder de denunciar riscos não administrados, ou ignorados, pelas organizações.

O despreparo em lidar com ameaças torna-se uma avalanche com consequências sérias, pois um pequeno fato isolado pode ganhar proporções maiores dependendo do tempo de resposta e da ação correta a ser feita.

## O entendimento do risco

É possível mapear os riscos do seu negócio, mas para isso é necessário frieza em estudar, se aprofundar, ver e ouvir. Antes disso, presidente e diretores precisam estar envolvidos

Por ser um tema novo na administração das organizações, independente do setor em que atua, a dificuldade é assumir os riscos do negócio e saber como lidar com eles, no que diz respeito à prevenção e medidas prévias para contê-los. Trata-se de um trabalho chamado de gestão de riscos. Em algumas organizações, dependendo do setor que atua, há um departamento especializado em cuidar na gestão de risco, que também pode ser chamado de auditoria de riscos, como por exemplo, o setor químico, petroleiro, farmacêutico ou de energia. O trabalho de gestão de risco é uma tarefa multidisciplinar, que envolve, além da comunicação, profissionais especializados naquela área capaz de levantar riscos e apontar soluções para preveni-los e minimizá-los. Também pode incluir médicos, psicólogos, sociólogos, administradores etc., dependendo do setor que atua.

## Envolvimento de todos

A gestão do risco não é uma preocupação e prioridade somente da organização. Trata-se de um trabalho conjunto que envolve governo, pesquisadores, organizações sem fins lucrativos, organizações internacionais, comunidade e sociedade.

As consequências da modernidade são difíceis de prever, porém há a necessidade de se chamar a atenção para que: a indústria reveja seus processos de produção, adotando elementos mais rigorosos de controle, revendo seus sistemas de gestão; o governo coloque na pauta de discussão e tome medidas para que tais ameaças não surjam; organizações sem fins lucrativos estejam engajadas na busca de solução. Somente com todos os envolvidos é possível trazer os problemas para a discussão coletiva.

A comunicação se torna um fator fundamental nesse processo, pois o risco, ao se transformar em tema de discussão e reflexão na organização, abre a possibilidade para o debate, o diálogo, a negociação e, por fim, para a busca de soluções, ou ao menos para a tentativa de se elaborar medidas de precaução.

Todos esses riscos adquirem proporções mais alarmantes quando se transformam em assunto de interesse público, gerando esferas públicas de discussão e debate. Se as consequências prováveis dos riscos não forem debatidas por todos aqueles direta e indiretamente afetados, dificilmente poderão ser evitados danos irreversíveis. Nesse caso, a mídia se torna fundamental para trazer à tona esses riscos, para instaurar uma esfera pública, e, consequentemente, contribuir para que atitudes sejam providenciadas e cobradas diretamente das corporações, como também exigir que o governo e demais órgãos controlem e fiscalizem tais ações.

O risco só adquire dimensão de problema público quando é tematizado como algo de interesse de todos. O público está diretamente envolvido na ameaça e passa a fazer parte do problema. Sendo assim, surge a necessidade da conversação e do debate para que medidas sejam cobradas. A esfera pública[3] possui um papel fundamental nesse processo de cobranças de ações para minimizar riscos futuros.

A esfera pública[4] é uma estrutura comunicacional com o objetivo do agir orientado pelo entendimento. Para chegar a um senso comum são necessárias as articulações deliberativas de argumentos com a ideia de solucionar, ou melhor, entender um problema específico. Os indivíduos apresentam seus pontos de vista e perspectivas para diferentes atores, que, por sua vez, também têm direito de expor seus posicionamentos sobre temas de interesse geral. Posteriormente abre-se

3 A esfera pública é um sistema de alarme dotado de sensores não especializados, porém, sensíveis no âmbito de toda a sociedade. Na perspectiva de uma teoria da democracia, a esfera pública tem que reforçar a pressão exercida pelos problemas, ou seja, ela não pode limitar-se a percebê-los e a identificá-los, devendo, além disso, tematizá-los, problematizá-los e dramatizá-los de modo convincente e eficaz, a ponto de serem assumidos pelo complexo parlamentar. E a capacidade de elaboração dos problemas, que é limitada, tem que ser utilizada para um controle ulterior do tratamento dos problemas no âmbito do sistema político. (HABERMAS, 1997, p. 91).

4 Uma esfera pública se constitui através da atividade comunicativa quando diferentes públicos ou indivíduos se organizam em redes comunicacionais articuladas, com o objetivo de discutir sobre os problemas ou questões que os afetam, de assumir um posicionamento, de trocar argumentos e de justificá-los diante das interrogações feitas pelos parceiros de interação (HABERMAS apud MARQUES, 2009, p. 16).

o espaço para debate e a construção de novos argumentos, criando-se assim a possibilidade de se chegar à compreensão e à solução para o problema coletivo.

O ideal é que a conclusão dos fatos não se limite somente ao desenvolvimento técnico, mas sim permita a participação de diferentes atores para chegar a um objetivo que esteja em consonância com o bem de todos.

É esse processo de argumentações, no qual as conversações se articulam em rede, que dá origem a uma esfera pública voltada para a comunicação de opiniões, demandas e interesses. Os atores passam a ter um posicionamento sobre os riscos e os papeis de cada um dos envolvidos, como empresas, organizações e autoridades políticas.

A partir do debate e da exposição do problema coletivo, abre-se o caminho para a cobrança de medidas e ações rápidas para que ameaças não surjam. A mídia, incluindo as redes sociais, é uma estrutura comunicacional importante para a exposição e coleta dos pontos de vista e para o surgimento de outros argumentos. Trata-se de uma arena para que todos tenham a oportunidade de visualizar os fatos e opiniões, além de propor uma manutenção constante de ciclos de debates até chegar a um entendimento acerca de um problema de interesse geral.

Aos poucos, os riscos têm alcançado repercussão, sobretudo quando estão sob os holofotes e repercussão dos meios de comunicação. As companhias internacionais e os governos têm sofrido pressão da esfera pública mundial, no respeito à mudança de atitudes. "A participação individual-coletiva no contexto global é decisiva e notável: o cidadão identifica no consumo a senha que o autoriza a intervir politicamente em qualquer hora ou local".[5]

Nesse processo, os indivíduos não conseguem ser diretamente ativos para uma mudança de trajetória, sendo necessária a repercussão na mídia para convocar um debate em torno de um risco. Os protestos são intermediados pelos meios de massa. Os riscos nascem, e a mídia tem o poder de apresentar a questão para ser discutida, avaliada e reavaliada, chamando a atenção dos atores envolvidos.

5 BECK, 1999, p. 130.

Notícias relacionadas aos riscos ganham facilmente espaços nos veículos de comunicação, pois o relato marca um assunto atual, é imprevisível, possui peso social e impacto político-econômico, tem abrangência local e mundial, milhares de pessoas são envolvidas devido às consequências e o caso pode evoluir, além de vários atores estarem implicados para a tomada de decisão.[6]

Apesar de os meios de comunicação serem fundamentais nesse processo de mudança de atitudes e cobrarem responsabilidades de diferentes atores envolvidos no processo, a mídia, segundo Beck (1997), ainda não sabe apresentar os riscos ao público. Se para as organizações o assunto risco é novo – pois muitas vezes não sabem como lidar com os fatos –, para a imprensa é mais ainda. A busca constante pelo furo jornalístico, a quantidade de novos meios de comunicação e a velocidade dos fatos podem dar origem a informações erradas ou repercutir notícias polêmicas que gerem mais angústia junto ao público leigo.

É importante frisar que nem todos os riscos que levantam o interesse dos meios de comunicação e alguns deles, por não serem mais novidades, já não despertam a atenção das publicações, como a AIDS. A notícia é publicada de acordo com o que é interessante para o veículo e desperta audiência, e não pela hierarquia e importância do risco à população.

Vários fatores impedem uma cobertura correta sobre os riscos na mídia: muitos jornalistas não veem a importância do assunto para o público. O caminho para um bom resultado seria um trabalho conjunto entre imprensa e pesquisadores. Ter repórteres e editores especializados, como também editorias para acompanhar a evolução dos riscos relevantes, seriam boas soluções. Há outros jornalistas que exageram na cobertura, trazendo inclusive um tom sensacionalista e, em alguns casos, criando pânicos desnecessários. Em outras situações, os riscos são noticiados de acordo com os interesses das empresas de comunicação, tanto em âmbito político, econômico ou organizacional.

---

6 SODRÉ, 2009.

## Deliberação organizacional como prevenção de riscos

As organizações sonharam com a globalização, aumentaram a escala de produção, estimularam o consumo, multiplicaram seus lucros, e agora, se deparam com a sociedade de risco. Não calcularam que sua produção poderia poluir o meio ambiente e que os recursos naturais ficariam escassos. Não compreenderam que a falta de controle de qualidade afetaria seus lucros e que as crises ecológicas seriam cada vez mais preocupantes aos negócios. Não significa que as empresas agiram maleficamente, mas poucas contemplaram os riscos em seus negócios por se tratar de um assunto novo, que requer atenção.

Como explica Giddens (2002), as ações do passado implicam no presente e têm reflexos no futuro. Apesar de o termo "sociedade do risco" ser novo, tal processo vem ocorrendo há mais de um século – após a Revolução Industrial –, sendo que aumentar produção e visar lucros eram os únicos objetivos naquele momento. Os resultados só podem ser vistos hoje diante das ameaças e incertezas de que, em qualquer momento, algo pior pode ocorrer.

As decisões sobre o negócio, os processos produtivos e os planejamentos futuros de crescimento, que antes ficavam somente restritos às salas de diretores e gerentes, tomam outras proporções. Novos atores e grupos entraram em cena, influenciando na produção, no desenvolvimento tecnológico, na disposição de lixos e resíduos, entre outros aspectos. Tais grupos de influência têm conseguido resultados surpreendentes, apontando formas adequadas de produção e suas consequências.

Segundo Beck (1997), a responsabilidade pelos riscos futuros é atribuída aos causadores e não aos prejudicados e atingidos. Cabe aos causadores apontar os prejuízos que suas empresas podem infligir ao mundo como também as soluções e respostas para tais riscos.

Buscar soluções tem sido o dever de todos os envolvidos, tanto de corporações e governos, quanto de associações e organizações de influência. A sociedade de risco chama a atenção para repensar atitudes e valores, reavaliar os processos organizacionais e se organizar para trazer medidas que assegurem um futuro protegido de ameaças.

Porque o assunto ser de interesse de todos, o caminho é implantar regras ao debate para que as alternativas sejam decididas de forma política e democrática. É uma forma de a civilização ter consciência dos danos que ela mesma criou e buscar soluções.

Conter e prevenir os riscos são caminhos a serem adotados por todos os envolvidos, entre eles: governo, associações, empresas, pesquisadores e a própria comunidade. "Os fóruns de negociação não podem abolir os conflitos nem os perigos incontroláveis da produção industrial. Entretanto, podem estimular a prevenção e a precaução e atuar rumo a uma simetria de sacrifícios inevitáveis".[7] As redes sociais se tornam, na atualidade, um veículo fundamental para o debate no qual diferentes pessoas, em qualquer lugar, de qualquer especialidade, possuem a chance de participar e se engajar no debate.

Mesmo diante de posturas otimistas e pessimistas, cabe buscar uma solução constante ou ao menos minimizar e até quem sabe evitar os riscos. Por meio da negociação, novos procedimentos são experimentados, mudam-se as estruturas de tomada de decisão, debatem-se os erros e acertos. Uma medida de solução é a negociação, que deve ser compartilhada com todas as autoridades, empresas envolvidas, sindicatos, representantes políticos e opositores radicais. Mais do que estarem dispostos a engajar-se em negociações, é fundamental que estejam abertos a assumir compromissos.

Unindo os conceitos de Beck e de Habermas, a deliberação nas organizações, por intermédio do debate e exposição de argumentos por diferentes esferas públicas é uma das soluções para minimizar riscos, preveni-los para assim evitar crises.

Para isso, algumas atitudes devem ser repensadas institucionalmente: a informação não pode estar somente nas mãos dos especialistas, como no caso de diretores e gerentes de organizações, e nem eles podem dizer o que é certo ou errado. É o fenômeno chamado de "desmonopolização da informação": os círculos de pessoas com permissão de participar não podem continuar fechados; é preciso abrir a possibilidade de discussão; a negociação deve abranger diferentes

---

7 BECK, 1997, p. 43.

agentes e vozes; as normas devem ser resolvidas de comum acordo, após discussões, debates, avaliações, votação e depois, sancionadas. Também se torna fundamental as organizações abrirem a discussão no âmbito interno, ou seja, entre colaboradores, fornecedores, comunidade e outros *stakeholders* (públicos de interesse) engajados no assunto.

As soluções somente aparecem quando especialistas e leigos se reúnem em grupos e de forma organizada. Se a proposta é reunir grupos, cabe às organizações abrir o espaço para debate, de modo que todos tenham a chance de participar, mesmo aqueles que são menos experientes no assunto. "Nas condições da modernidade, tanto para os leigos quanto para os peritos, pensar em termos de risco e estimativas de risco é um exercício quase que permanente e seu caráter é em parte imponderável".[8]

Nesta atualidade, surge a necessidade de chamar a atenção para as organizações se reunirem para eliminar as causas efetivas que levam aos riscos, em vez de ficar tratando o sintoma. Isso indica que não se devem ignorar as consequências, é necessário analisar previamente para que não se chegue a uma situação irreversível.

## Gestão do risco

Cada membro de uma organização tem a responsabilidade no entendimento do risco, seu apontamento e medidas de contenção. Para isso, as organizações devem estar preparadas culturalmente e em processos. Será que um diretor está disposto a ouvir um subordinado falando "isso vai dar problemas e precisamos tomar uma iniciativa"? Porque não instaurar a cultura do risco e incentivar a observação do que pode afetar o negócio. Todos devem, ou deveriam, ser envolvidos neste processo.

Se sua empresa ainda não está inserida neste contexto, alguns passos ajudam a conduzir o processo:

1. começar pela alta direção é um grande início;

8 GIDDENS, 2002, p. 117.

2. criar um comitê de risco. Neste grupo devem estar envolvidos: presidente, vice-presidente, diretores e gerentes. Cada organização possui um organograma e os cargos mais altos devem participar;
3. indicar uma pessoa que lidere o projeto, ou se preferir, ter um consultor ajudará o andamento do projeto e a garantia que as agendas, discussões e levantamento de dados sejam cumpridos;
4. estabelecer um plano de trabalho com prioridades.

Para o levantamento dos riscos algumas questões precisam estar respondidas:

1. Qual a posição da organização hoje no mercado;
2. Qual é a importância da organização para o mercado;
3. Quais os seus *stakeholders* (públicos e partes interessadas);
4. O que e como ela se comunica;
5. Como os *stakeholders* veem a marca (reputação);
6. Quais os objetivos e metas da organização.

Perceba que a marca precisa ter clara qual a posição dela no mercado, como é vista e por quem e metas. O retrato atual demonstrará, como se fosse um jogo de xadrez, quais movimentos devem ser feitos para alcançar os objetivos e – o que mais importante, que é o que todos esquecem – o que pode afetar o alcance dos objetivos. A partir desta ótica, estamos observando os riscos do negócio.

Uma empresa do futuro e com visão de crescimento deve acompanhar os movimentos. Para ajudar no processo de investigação, e é o que muitos autores indicam, dividir entre riscos internos e externos.

## *Riscos internos*

Riscos internos, como o próprio nome diz, são aqueles voltados para dentro da organização, relacionados a: produção, operação, gestão de pessoas, relacionamento com os *stakeholders*, marketing, comunicação, relações institucionais, relações internacionais, logística, tecnologia, finanças, sustentabilidade, *compliance*, saúde e segurança. Preste atenção nos valores, princípios éticos e integridade dos funcionários. Eles podem afetar seu negócio e expor negativamente sua marca.

Para descobrir as vulnerabilidades do negócio ou possíveis eventos que podem afetar a marca, converse com as pessoas da produção e levante o que pode dar errado, ouça o chão de fábrica, o porteiro, a faxineira, a área de recursos humanos, a área de logística etc.

Escutar o Serviço de Atendimento ao Consumidor (SAC), reclamações digitais e queixas nas redes sociais ajudam entender os riscos internos. Considerar aqui também o que estão falando da sua marca na imprensa pode trazer um olhar diferente sobre riscos. Em alguns casos, um posicionamento inadequado pode ser um risco. Levante dados, dados e dados.

Fazer o mapeamento é um trabalho árduo e que, às vezes, pode levar meses dependendo do tamanho do negócio. Um consultor externo é sempre eficaz para visualizar ameaças que estão diante de nós todos os dias e, por estarmos no dia a dia e ter nos acostumado com os processos, nem são vistas.

### *Riscos externos*

Riscos externos são fatores externos difíceis de controlar, mas que requerem atenção redobrada. São, por exemplo, novas leis, normas, regras de mercado, aumento do dólar, entrada de novo governo, movimentações do mercado financeiro, entrada de um novo concorrente, expansão/movimento de um concorrente, novos comportamentos do consumidor, ações e movimentos de diversidade, crises e catástrofes vindas de empresas do setor, condições meteorológicas, novas atuações de cibercriminosos etc. Os riscos externos devem estar no radar constante da empresa, pois eles mudam com muita velocidade. Tenha no radar questões nacionais e internacionais, mesmo que não afete diretamente seu negócio.

No contexto digital, mapear os influenciadores (nano, micro e macro) de diferentes redes pode ser pertinente para entender o que pode impactar o seu cliente com relação aos seus hábitos, pensamentos e comportamentos.

## Avaliação dos riscos

A partir do momento que o comitê, ou grupo responsável pelo tema, passa a ter conhecimento de cada risco, se faz necessário analisar os impactos, consequências e quanto ele pode influenciar na organização, nos clientes, consumidores e sociedade em geral. Conselho: pense em cada risco, literalmente. Na avaliação, considere e calcule qual a probabilidade de acontecer, como podem e serão administrados. Neste processo, considere a dimensão caso o risco venha à tona.

## Gerenciamento do risco

Com o conhecimento dos riscos, algumas decisões precisam ser tomadas de forma técnica e racional por parte do grupo envolvidos. A partir daqui todos passam a ser responsáveis pelas tomadas de decisão.

Há como evitar? Prevenir? Conter? Minimizar? A resposta ao risco é o momento de dividir nas seguintes categorias: evitar, aceitar, reduzir ou compartilhar. Com esta categorização, a administração toma medidas para reduzir e entender o quanto a empresa possui apetite ao risco.

Outro elemento importante do processo de gerenciamento do risco é o controle. Quais as políticas e procedimentos que serão estabelecidos a curto, médio e longo prazo para assegurar que os riscos não venham à tona. A partir daí, por exemplo, que se cria o Código de Conduta Ética, Manual de Conduta nas Redes Sociais, Políticas de Segurança etc. Mais do que criar, o importante é comunicar, criar conscientização, cobrar uma mudança de atitude pelos envolvidos e revisar constantemente.

A comunicação de tais informações nos diferentes níveis requer estratégia, plano de ação para implantação e sustentação. Tudo com o objetivo de que tais informações fiquem claras sobre os riscos, medidas, prevenções, o quanto pode afetar a futuro da empresa e permitir todos cumpram de forma fluída as normas, regras e atribuições para que tais riscos não venham a acontecer.

A partir do momento que conheço meus riscos, analiso os impactos, crio consciência, tomo medidas de prevenção e contenção e envolvo a todos para que a informação seja nivelada. Com isso, desenvolvo critérios de monitoramento para diferentes áreas e de forma simultânea de acordo com cada risco.

# CAPÍTULO 3

# CRISES: O QUE É, CONCEITOS E IMPACTOS

O conceito de crise empresarial ou organizacional é um assunto relativamente novo nas áreas de comunicação, administração, economia, sociologia e relações públicas. Quando se fala em crises, o que os gestores, em sua maioria, visualizam são as crises financeiras e econômicas. Eu já estive em contato com vários diretores de empresas, que quando eu falava do meu trabalho em gestão de crises, me perguntavam: você faz leitura do cenário econômico-financeiro? O que tem a ver comunicação com finanças? A minha resposta é: tudo. Afinal, tudo se interliga.

Também já me perguntaram: "Estou com a minha empresa ruim e precisando de ajuda para não entrar em crise". Poucos percebem que crise não está somente ligada diretamente à área econômica. A minoria dos gestores reconhece que as crises de imagem podem dar início a uma crise financeira, quando não bem administradas.

Nos exemplos dados acima, veja que há uma confusão entre cenário de risco e de crise. Como visto no capítulo de anterior, o entendimento do risco do negócio – interno e externo – é um processo de levantamento de dados, análise, avaliação, mensuração de impacto, tomada de atitudes para que não venha acontecer, monitoramento e planos de emergência e segurança.

As grandes crises de imagem de maior repercussão se destacam a partir do final do século XX, e o caso Tylenol em 1982 se tornou um marco nesta história, pois chamou a atenção sobre as vulnerabilidades de um negócio e sua dimensão para os efeitos de uma marca.

A Johnson & Johnson, conhecida por seus produtos de qualidade e como uma marca de confiabilidade, mostrou – sem querer – às empresas que qualquer organização, inclusive aquelas aparentemente mais seguras, podem sofrer abalos nos negócios e, consequentemente, na imagem[1] e na reputação.[2] Para você entender o caso, se não o conhece, vou contar resumidamente: no dia 29 de setembro de 1982, descobriu-se que uma pessoa tinha morrido ao usar o comprimido Tylenol – algumas das embalagens tinham sido contaminadas com cianeto e vendidas na região de Chicago (EUA). Com esta informação, dois dias depois, a empresa mobilizou a retirada de 32 mil embalagens, além de investigar a origem dos lotes. Para a época, a empresa foi ousada, pois tinha 35% do mercado americano e vendia 400 milhões de dólares só de Tylenol. Além de interromper as propagandas, a Johnson & Johnson abriu as portas da empresa para responder todas as questões da imprensa. Estas foram algumas das ações feitas, mas diante de tanta transparência e confiança, a mídia passou a ser aliada do caso. Os gestores não estavam somente preocupados com o impacto financeiro e a reputação da empresa, mas acima de tudo com as vidas humanas envolvidas no caso. Em poucos meses, a J&J recuperou o mercado.

Ao longo dos últimos vinte anos muitas crises surgiram, que ameaçaram a reputação e a sobrevivência de uma empresa. Têm alguns casos que são típicos para os estudiosos de crise – que contribuem para aprender o que fazer e não fazer durante um momento de conflito

1 A imagem de uma organização é construída pelo reflexo da identidade corporativa. Esse conceito será mais bem desenvolvido no capítulo 3.

2 De forma geral, a reputação é a consequência da imagem. Pode ser boa ou ruim, variando conforme sua construção. O assunto será melhor abordado no próximo capítulo.

– como a pílula de farinha, o anticoncepcional Microvlar, fabricado para teste pela Schering do Brasil e que acabaram chegando às mãos dos consumidores (1998); a retirada do anti-inflamatório Vioxx, do laboratório Merck & Co. do mercado, por causar ataques cardíacos e derrames após os pacientes usarem por dezoito meses; o recall do Fox da Volkswagen (2008), por conta do banco traseiro, que ao ser manuseado atingia o dedo do consumidor, e oito tiveram os dedos cortados; a contaminação do Ades (2013) e do Toddynho (2011).

Têm os casos da indústria química que também fazem parte dos *cases* de estudos, como o episódio do vazamento de óleo do petroleiro *Exxon Valdez*, no Alasca (1989) e o acidente nuclear de Chernobil (1986). Em se tratando de mineração, os casos brasileiros de maior proporção da história são Mariana (2013) e Brumadinho (2019). Também devemos considerar os casos de incêndio como o Museu Nacional do Brasil (2018), o Centro de Treinamento do Flamengo (2019) e a Catedral de Notre-Dame (Paris – 2019).

Todos os casos acima são crises que vieram à tona no mundo real e ganharam proporção no ambiente digital. Mesmo quando não se tinha internet, um caso de 1982 da Tylenol ainda é lembrado, estudado e lido. Sempre digo que, o que as pessoas esquecem, a internet lembra. Então, uma crise de grande proporção lembrada hoje, possui alcance mundial e é eternizado pela internet.

## Crise – conceito

Mas o que é uma crise exatamente? A palavra "crise" vem do grego *krisis* e significa decisão e julgamento. A palavra chegou ao português por meio dos substantivos crise, crítica, critério e seus derivados.

Para explicar o sentido da palavra, no dicionário Michaelis,[3] entre as definições do termo estão: "Momento em que se deve decidir se um assunto ou o seguimento de uma ação deve ser levado adiante,

---

3 MICHAELIS: dicionário brasileiro da língua portuguesa. Disponível em: <https://michaelis.uol.com.br/moderno-portugues/busca/portugues-brasileiro/crise/>. Acesso em: 15 jul. 2019.

alterado ou interrompido; momento crítico ou decisivo." A medicina foi a primeira a usar a palavra, e mais tarde estendida para outras áreas como economia, política, ciências sociais, psicologia e dramaturgia.

Quando vou analisar um termo, gosto muito de recorrer ao dicionário para entender epistemologicamente falando o sentido da palavra. Comparando em 2011, quando foi feita a primeira análise da palavra crise por mim, e recentemente, percebo o quanto a palavra também tem crescido em termos de definições. Vale a pena ressaltar isso, pode ser um início de um amadurecimento quando se fala de crise.

Crise é um processo, e a melhor forma de prevenção é aceitar a probabilidade de acontecer. É um amadurecimento do indivíduo, da organização, do governo e da sociedade de encarar os fatos, pensando em medidas para que não aconteça. O ser humano somente muda o contexto em que está envolvida quando se torna consciente e parte para um plano de ação. Um exemplo disso é os Estados Unidos. Os americanos aceitam que estão sujeitos a furacões. Com isso, todos os atores envolvidos entendem a importância da tomada de atitude na hora certa, se preparam com medidas e sabem como proceder no momento certo sem causar pânico. Como você chega neste grau de amadurecimento? Compreendendo o risco e sabendo agir no momento de crise.

## Crise

A crise, independentemente de qualquer natureza, é um momento de alerta, de mudança, de instabilidade, que requer uma tomada de decisão rápida para não deixá-la ganhar forças e evoluir. No grupo de estudo de psicanálise também ouvi uma ótima definição para crises: "Crise pode ser encarada como um momento de ameaça ou uma oportunidade". Depende das suas ações e tomadas de atitudes. Quem conduzirá o rumo da história é o próprio indivíduo/líder/gestor – no caso das organizações. Explicando melhor: a crise pode ser uma oportunidade de uma organização sair mais forte ao tomar as decisões certas.

Para o mundo organizacional, crises podem ser econômicas, políticas ou financeiras, mas todas têm um reflexo na organização e são denominadas crises empresariais. Qualquer empresa hoje, independentemente de ser micro, pequena, média ou grande, está sujeita a sofrer uma crise, que pode afetar uma pequena comunidade ou ter impactos maiores. Suas consequências dependerão dos riscos envolvidos no negócio e do quanto a organização se precaveu anteriormente.

Já parou para pensar que seu negócio possui riscos? Você sabe quais são eles? Conseguiu preveni-los para que não gere uma crise?

A diferença do risco para a crise é uma linha tênue no qual você sai de um estado de alerta e entra para um fato e um acontecimento. No estado de risco, há uma ameaça, uma vulnerabilidade e uma possibilidade de algo acontecer. Até ganhar proporções, há estágios que deveriam ter sido monitorados e controlados para que não viesse à tona.

A crise, na maioria dos casos, se origina de um risco não administrado, calculado, minimizado ou prevenido. Deve-se deixar claro que uma crise é um desdobramento de um fato, ou seja, o assunto passa a ser uma crise quando ganha relevância, evidência e proporções maiores diante de seus diferentes públicos.

Essa instabilidade, além de colocar em risco a imagem e reputação, estremece o clima organizacional,[4] mexe com a estabilidade da produção e cria rumores capazes de afetar o balanço financeiro de uma corporação. Os *stakeholders* passam a ter dúvidas quanto à integridade e ética da organização.

As empresas devem reconhecer a possibilidade de o negócio possuir riscos, para que depois os conheça mais de perto, pesquisando e analisando alternativas de precaução. Partindo desse princípio, é possível criar, conscientizar e evitar danos futuros.

Para o autor americano Luecke, a crise é uma mudança – repentina ou gradual – que resulta em um problema urgente que deve ser resolvido imediatamente ou pelo menos as primeiras providências devem ser tomadas para conter, minimizar ou parar o fato que esteja causando

4 "Clima organizacional constitui o meio interno de uma organização, a atmosfera psicológica e característica que existe em cada organização. O clima organizacional é o ambiente humano dentro do qual as pessoas de uma organização executam seu trabalho. O clima pode se referir ao ambiente dentro de um departamento, de uma fábrica ou de uma empresa inteira" (CHIAVENATO, 2006, p. 273).

a crise. "Para uma empresa, uma crise representa qualquer coisa com potencial para causar danos súbitos e graves a seus funcionários, à sua reputação ou a seu resultado financeiro".[5]

Já o autor brasileiro Roberto Neves[6] define crise empresarial com a opinião pública como uma situação que surge quando algo feito pela organização ou que a mesma deixa de fazer, de sua responsabilidade, que afeta, afetou, ou poderá afetar interesses de públicos relacionados à empresa, e o fato tem repercussão negativa junto à opinião pública.

Paul Argenti define o conceito como:

> uma crise é uma catástrofe séria que pode ocorrer naturalmente ou como resultado de erro humano, intervenção ou até mesmo intenção criminosa. Pode incluir devastação tangível, como a destruição de vidas ou ativos ou devastação intangível, como a perda da credibilidade da organização ou outros danos de reputação.[7]

A crise também pode ser considerada como uma crise empresarial interna, o que significa um conflito que ficou somente no âmbito interno da organização.

> Se na tentativa de equacionar esses mesmos problemas a empresa fizer algo que afete os interesses dos públicos e que isso tenha repercussão negativa junto à opinião pública, aquilo que era até então uma crise interna se transforma em uma crise empresarial de opinião pública.[8]

Então se percebe que uma crise mal administrada ou não percebida internamente ganha forças e atravessa os portões da empresa para um estágio mais avançado, de maior repercussão, chegando muitas vezes à mídia. Mesmo as crises pequenas que estão somente internamente requerem atenção. Primeiro, você indica que há preocupação, cuidado

---

5 LUECKE, 2007, p. 12.

6 NEVES, 2002.

7 ARGENTI, 2006, p. 259.

8 NEVES, 2002, p. 33.

e respeito com seus colaboradores, e segundo, a organização demonstra importância e preocupação com a sua marca, em não deixar que nada a afete, mesmo os pequenos episódios. Preste atenção, porque há crises que são silenciosas e geradas por meios silenciosos. Estou falando de fofocas de corredor, atitudes inadequadas do gestor com a equipe, desmotivação, valores e princípios da empresa. São crises ainda enraizadas em algumas organizações. Os espaços sem transparência e com atitudes inadequadas tendem a sofrer diante do cenário de modernidade, tendo funcionários insatisfeitos, com baixa produtividade e sempre em busca de outros empregos.

O que mais pode ser considerado uma crise: falhas humanas, de produção, má-administração, defeitos de produtos, mau atendimento, pós-venda, panes tecnológicas, catástrofes, acidentes no local de trabalho (explosões, incêndios, vazamento de gás), crimes contra o poder público, crimes ambientais, vandalismo, sequestros, ética (venda de produto com matéria-prima ilegal, corrupção, desvio de dinheiro, não pagamento de impostos) etc. A lista pode ser extensa, e você entenderá melhor o que pode ser uma crise e como ela está sujeita a atingir sua organização.

## Do risco, surge a crise. Tipos de crise

As crises possuem características comuns quando se desencadeiam: existe o "elemento surpresa", em que os fatos ganham escala rapidamente e, por despreparo dos executivos, muitos não sabem o que fazer e as respostas demoram a ser elaboradas:

> É difícil pensar estrategicamente quando se está dominado por eventos externos inesperados. Parte do problema em lidar com as crises é que as organizações só conseguem entender ou reconhecer que são vulneráveis depois que uma crise grave acontece.[9]

9 ARGENTI, 2006, p. 260.

A crise pode ser classificada em diferentes tipos: fenômenos da natureza, ambiental, social, produto, financeira e tecnológica. Quando a crise é relacionada aos fenômenos da natureza, ela envolve enchentes, terremotos, vulcões, ventanias, entre outros, nos quais o homem não tem o poder de interferir, porém, tem como agir caso tenha conhecimento prévio desses fenômenos.

As crises ambientais estão ligadas diretamente aos efeitos do meio ambiente, tais como vazamentos, destruição da camada de ozônio, contaminação do solo, ar, rios, mares e lagos, tratamento inadequado do lixo, poluição sonora e visual, desmatamentos, desvios de rios, alagamentos, aterros, caça e pesca predadora.

As crises sociais estão ligadas à ética da empresa – envolvem os valores morais, caráter, sua cultura e filosofia, e como a empresa age e se comporta diante de diferentes temas – e os fatos geradores mais comuns são acidentes de trabalho, demissões em massa, violações das leis, discriminação, assédio, escândalos de qualquer natureza, como fraudes, corrupção, entre outros.

As crises relacionadas ao produto causam tremores nas organizações, em especial quando afetam a vida, saúde, higiene, integridade física dos consumidores. Os alimentos são produtos que podem desencadear crises, pois estão ligados à nutrição do ser humano e essa requer segurança, tal como seleção cuidadosa de nutrientes, controle de processos, higienização do local, máquinas e humanos envolvidos para lidar com o alimento, entre outros itens. Além disso, nas crises de produtos também estão envolvidos casos como prazos de entrega não cumpridos, *recall*[10] de produtos, manutenção, cobranças indevidas e qualidade suspeita, entre outros.

As crises financeiras englobam as fusões, aquisições, perda de grandes clientes, perdas patrimoniais, concordata e pedidos de falência. As crises tecnológicas, no mundo atual, podem paralisar uma organização, pois são movidas por sistemas, telefonia e internet.

---

10 *Recall* é quando um produto vendido ao consumidor apresenta defeito de fábrica, podendo afetar só um lote ou a série inteira do produto. Nesse caso, a empresa realiza o *recall* para que o produto seja devolvido e sejam feitos os ajustes necessários. Há casos em que o produto é recolhido e o dinheiro é devolvido.

Quando uma empresa está envolvida em uma crise também é necessário entender seu gênero, ou seja, contingencial ou de caráter. Na crise do tipo contingencial, existem ações imediatas para conter uma emergência, assim, ela requer um plano de contingência, como por exemplo, em caso de incêndio, retirar os funcionários do prédio, ligar para os bombeiros e a defesa civil, acionar os hospitais locais etc. O plano de contingência é uma ação previamente desenhada, treinada e simulada com todos os envolvidos, incluindo órgãos públicos, de acordo com o tamanho e proporção de impacto do negócio.

A crise também tem duas formas: evolutiva ou repentina. A crise evolutiva vai crescendo com o desenrolar dos fatos, isto é, a crise vai surgindo conforme os fatos vão ocorrendo. Em muitos casos, a crise evolutiva deriva de outras crises menores que vão ganhando força até virar uma grande crise. A crise repentina, como o próprio nome diz, ocorre repentinamente, sem controle algum, como por exemplo, a queda de um avião.

## Como surgem as crises na internet

A maioria das crises não surge repentinamente, exceto em alguns casos de tragédia – como queda de avião, ou enchentes – vindas do mundo externo e impactadas na internet e na imprensa. Elas vão dando pequenos sinais de sua evolução. É como os sintomas de uma doença. Os sinais aparecem e se não forem detectados imediatamente para que sejam tratados devidamente, a situação piora.

Um exemplo bem simples: um consumidor tem problemas no seu carro, ele vai à concessionária para fazer o reparo, mas não consegue assistência. O mesmo liga no SAC, a atendente promete providências, mas não retorna o contato. Depois de inúmeras tentativas e indignado, ele toma iniciativa de desabafar nas redes sociais para compartilhar o problema, e não necessariamente para pedir socorro. Sem sombra de dúvidas, os colegas da rede ficarão do lado do consumidor lesado e o ajudarão a debater e propagar as ações negativas daquela marca. Aparecerão outras histórias similares, que aumentarão o debate e a exposição da empresa, que não soube conter a crise desde os primeiros sinais. Se tivesse tratado desde o primeiro indício, não teria se exposto a uma situação negativa. Em casos como este, a empresa pode ser o assunto mais comentado e compartilhado, tal repercussão corre o risco de ganhar a imprensa e a bola de neve aumentará sem controle.

Outro exemplo: um consumidor compra um produto pela internet e não o recebe. Ele provavelmente tentará entender com a empresa o que houve. Ligará, ou chamará pelo *inbox*, fornecerá o número do pedido e vai querer saber a nova data de entrega. Suponhamos que a empresa não cumpra o combinado, ele ligará de novo e seguirá o processo. Sem dar satisfação, a empresa deixa o cliente desamparado. Depois das tentativas e buscando uma solução, ele recorre às redes sociais.

Perceba que o cliente relata o caso nas mídias sociais depois de ter tido um contato malsucedido com a marca. Em outras palavras, quando os outros meios de atendimento ao consumidor não funcionaram. Primeiramente, e na maioria dos casos, o cliente quer seu caso resolvido e não brigar.

É importante entender que tipo de crise sua marca pode se expor negativamente. As crises nas redes sociais por categoria são:

- Nas reclamações dos consumidores: falha de produtos; falhas no atendimento; assistência técnica; promoções mal elaboradas; na comunicação feita (posts escritos, piadas e memes em nome da organização); erros de português.

  A reclamação do cliente precisa ser ouvida e cuidada com muito critério, pois uma informação sobre sua operação ou fábrica pode vir dali. Há muitos casos de empresas em que os gestores apontam que o cliente só reclama. Pense sempre que o cliente que está reclamando foi afetado sentimentalmente e está abalado por algo. Existe um amor envolvido e o cliente deve ser tratado com respeito. Quando algo é dispensável para o ser humano, ele não reclama, simplesmente troca de marca. Devemos ou não respeitar e cuidar?

- Opinião de fatos relevantes.

  Por conta das redes sociais, dar opinião sobre cenários políticos, econômicos, sociais, religiosos e esportivos se tornou algo perigoso e que requer muita atenção. Hoje o que mais tem nas redes são críticos de diversos assuntos, mas opiniões são particulares e quando são dos gestores devem estar nas redes pessoais. Mesmo nas pessoais podem repercutir na empresa.

A partir do momento em que a pessoa coloca que trabalha na empresa XY, querendo ou não, ela já está falando em nome da organização. Uma opinião inadequada pode repercutir negativamente nela.

- Posicionamentos.

  Posicionamento de marca é algo que tem a ver com a essência da empresa, missão e filosofia. Ela precisa, além de contar ao mercado, praticar o que conta. Todos os colaboradores da empresa devem estar envolvidos com o que ela pensa e se posiciona. Empresas de inovação, por exemplo, precisam ser inovadoras como um todo, no seu modo de trabalhar, envolvimento com a equipe, divisão de tarefas, temas relacionados a *home office* etc. Empresas que defendem a diversidade, outro exemplo, contratam pessoas pelo seu trabalho sem ver como se vestem, agem ou suas preferências? São detalhes que precisam ser pensados no modo como essência e comunicados de forma correta.

- Princípios éticos.

  Os princípios éticos podem ser alvos das redes sociais se não transmitidos de forma correta, tanto na comunicação como na prática. A ética da empresa está ligada diretamente a seus valores e como se comporta e comunica. Devem ser praticados dentro da empresa pela alta gestão, disseminados para os colaboradores e levados para os *stakeholders*. Os princípios éticos dos fornecedores também são de responsabilidade de quem contrata.

## Imprensa e redes sociais

As crises de repercussão na imprensa também seguem a mesma lógica. Quando não administrada e contida, a organização ganha os holofotes da mídia. Hoje, a internet e a imprensa off-line não estão dissociadas, elas estão interligadas, pois muitas vezes os meios de comunicação se pautam nos assuntos relevantes e debatidos dentro do ambiente on-line. Ou as redes sociais ajudam a disseminar a informação para além daquele grupo cativo de leitores daquele jornal. Claro, o efeito contrário também acontece. Mas percebe que as crises se tornam mais fortes e poderosas no mundo globalizado, graças a sua velocidade e dinamicidade? Por conta disso, os meios de comunicação se tornam, aos poucos, ou efetivamente, o quarto poder.

No mundo on-line existem dois tipos de repercussão de uma crise: ou ela se inicia no próprio ambiente on-line, nos debates nas redes sociais; ou a crise surge no ambiente externo e as redes sociais têm a função e a força de propagar. É importante mencionar que para os meios digitais, as crises, para terem repercussão, não precisam ganhar, necessariamente, as páginas do jornal. Muitas das crises, do mundo moderno, podem ficar fechadas no ambiente on-line, porém visto por muito mais pessoas.

Nenhuma empresa quer ser alvo negativo da mídia, por isso é importante entender como as notícias são construídas e o que é interessante para os meios de comunicação, jornalistas, os próprios leitores e as redes sociais.

## Repercussão de fatos

A notícia é uma narração de fatos, e o público quer saber informações referentes aos seus assuntos de interesse. Definir a notícia é um desafio para os jornalistas (e empresas jornalísticas), que devem ter a visão imparcial do que é relevante ao seu público:

> Os valores que sustentam a noticiabilidade de fato, ou seja, a condição de possibilidade para que este venha a transformar-se em notícia – podem variar segundo o lugar do fato, do nível de reconhecimento social das pessoas envolvidas, das circunstâncias da ocorrência, da sua importância pública e da categoria editorial do meio de comunicação.[11]

---

11 SODRÉ, 2009, p. 21.

O fazer jornalístico está diretamente ligado às atividades de seleção, destaque e articulação de informações capazes de transformar fatos em acontecimentos que consigam despertar o interesse coletivo. O acontecimento é construído por interferência do fato, que pode ser atualizado a cada momento ou diariamente, com novas ocorrências. Tornam-se acontecimentos quando o fato sai da normalidade do dia a dia da sociedade. Os acontecimentos relevantes são responsáveis por pautar a imprensa – jornal, revista, rádio, TV e internet.

Uma repercussão de um fato vira um grande acontecimento por ser de interesse de uma grande maioria, como corrupção, desvio de dinheiro, vazamento de petróleo, intoxicação, contaminação de alimentos etc. O fato gera um acontecimento, que dá origem à notícia.

O que determina a escolha de uma notícia ou outra é o valor que ela traz em si. Novidade, imprevisibilidade, o peso social e a proximidade geográfica do fato, a hierarquia social dos personagens implicados, a quantidade de pessoas e locais envolvidos e o impacto sobre o leitor são as características que definem os valores-notícia. O fator surpresa, ou o acontecimento repentino, atrai a atenção da mídia para que se torne notícia. É neste cenário de imprevisibilidade que as crises ganham destaque e relevância.

Uma crise organizacional passa a ser notícia por conta destes itens: as crises organizacionais se tornam alvos da mídia quando envolvem um grande número de pessoas, variam de acordo com a seriedade do risco envolvido, quando se coloca em risco a vida do ser humano e do meio ambiente, variam conforme os impactos que causam na vida da sociedade no presente e no futuro, se envolvem governo ou outras entidades relevantes e quando se coloca em questão o caráter da empresa.

As crises dão audiência e fazem lucrar os meios de comunicação porque chamam a atenção do interesse público. As crises de imagem permitem que os veículos de comunicação travem uma batalha entre si na busca pela informação mais rápida, fontes diferentes, fatos privilegiados e quem sai na frente ganha.

A exposição de uma crise na mídia ganha contornos de defesa dos interesses públicos. Segundo Wilson Bueno,

> a mídia tem um papel fundamental no processo de expansão ou redução das crises. Quando ela descobre na crise uma oportunidade de aumentar a audiência, quando ela percebe que a situação pode ser do interesse do público, não titubeia.[12]

A publicação de um fato ilícito pode ser entendida como forma de coibir os outros para não repetir o mesmo erro ou outros similares. Empresas, organizações sem fins lucrativos, políticos, celebridades podem ser alvos de grande crise, como também qualquer um dentro de sua atividade exercida.

Entender como a notícia é construída é importante para gestores compreenderem que sua empresa pode ser notícia, independentemente de seu tamanho. Talvez você me questione a importância de entender como se forma uma crise nos meios externos em um livro de crises on-line. Não podemos dissociar: o que muda do mundo off-line para o on-line é a dinâmica, interação, estilo de público, mensagem e o poder de alcance.

Os blogs, que possuem voz e transmitem informações, seguem a mesma teoria para a construção da notícia. Mesmo muitos não sendo jornalistas, repercutem temas relevantes para seu grupo ou comunidade. A notícia pode ser boa ou ruim, mas sua marca está lá exposta.

Os novos meios de comunicação, como as redes sociais, também são grandes impulsionadores de crise. Poucas organizações perceberam isso para observar o que estão falando sobre seu negócio e não possuem o controle do que está sendo publicado sobre seu produto ou marca, nem de forma positiva nem negativa. E ainda tal informação pode estar sendo republicada por outro veículo, ou o próprio público pode estar se mobilizando a favor do consumidor e outras queixas podem vir à tona.

Uma crise se inicia e, dependendo do tamanho da repercussão, é que ganha o palco da mídia. Alguns veículos de comunicação (jornais e televisão) já oferecem espaço para o assunto mais discutido na rede, o que significa o aumento da convergência de mídias.

---

12 BUENO, 2009, p. 142.

Muitas empresas se encontram emparedadas sem saber como lidar com o excesso de informação e novas mídias, nas quais qualquer um pode ter o papel de repórter e narrar situações vividas ou debater assuntos acerca de um determinado tema. A internet também é palco de movimento contra determinadas empresas ou produtos. Por meio de comunidades "Eu odeio" são compartilhados informações, opiniões e ressentimentos.

Nenhuma empresa conseguirá 100% de satisfação de sua marca, e alguns até falarão mal, mas é necessário mapear o motivo de tal insatisfação para que o próprio produto possa melhorar. Alguns empresários e diretores tendem a ignorar as críticas e acham que o consumidor reclama sem motivo. A marca precisa encantar, trazer confiança, além de entregar os próprios atributos dos produtos. Por que isso não aconteceu? O que houve? O produto pode ser ótimo, mas a vendedora tratou mal o cliente, por exemplo.

Construir um relacionamento eficiente com o seu público na internet faz parte da identidade corporativa e, consequentemente, da construção da imagem e reputação da marca. Tais ingredientes fazem parte do processo de gestão de crise, que veremos nos capítulos a seguir.

## CAPÍTULO 4

# CONSTRUÇÃO DE IDENTIDADE, IMAGEM E REPUTAÇÃO NA INTERNET

Todas as empresas estão suscetíveis à crise, porém algumas estão mais expostas pelo ramo de atividade em que atuam ou por estarem mais evidentes na mídia. A crise é um sintoma do sucesso, e o que está em jogo é a reputação. Quanto mais uma empresa aparece em propagandas, nas ações de *marketing*, nas páginas dos jornais, mais ela se expõe e qualquer deslize será apontado, lembrado e registrado pelos sistemas de busca.

No mundo atual, no qual a concorrência dos produtos está acirrada, a forma como uma empresa se difere das outras não é o produto em si. Afinal, vender qualidade tornou-se uma obrigação e não um diferencial.[1] A confiança está diretamente ligada à segurança na era da modernidade.

No mundo da sociedade do risco, o que os consumidores querem é confiar na organização, que vende um produto, serviço ou uma ideologia. Alguns exemplos claros: um laboratório farmacêutico não

1 "Com o crescimento da concorrência em todas as áreas de atuação, incrementada pela força e reflexos da mundialização (ou globalização), as empresas urgem por diferenciais e precisam atribuir à sua marca elementos que a destaquem face à crescente força que tem a consciência do consumidor no momento da aquisição de produtos e serviços" (FARIAS, 1999, p. 9-10).

vende remédios, vende confiança. Uma fabricante de alimentos vende muito mais do que um pacote de biscoito, traz na marca a confiança embutida. Uma fábrica de pescados em conserva não vende somente atum enlatado, vende a confiança dos processos. Confiança é o resultado da boa reputação.

Para conquistar confiança é necessário contar o que a empresa faz e as suas ações. Isso somente é possível com os atributos da comunicação corporativa. Lembrando que estes fatores não são somente de responsabilidade da comunicação, mas uma tarefa em que toda as áreas, e, consequentemente, todos os colaboradores devem estar envolvidos. Pequenos atos, ações diárias e comprometimento transmitem confiança. São como doses diárias.

A tarefa dessa conquista requer tempo, pois trata de uma relação que precisa ser abastecida com ações positivas. Mesmo quando há problemas, ações rápidas, efetivas e solucionadoras permitem que o público esteja ao seu lado. Um paralelo: qualquer ser humano confia no outro após uma sequência de atitudes que o levará a crer nesta confiança.

Trata-se de uma relação que precisa ser sincera, honesta e com mútuo respeito. A construção desta relação de confiança também serve para as organizações x *stakeholders*.

Toda vez que se fala de comunicação corporativa, construção, preservação e sustentação de uma organização – no que diz respeito a seus produtos, marcas e serviços –, e até mesmo gestão e gerenciamento de crise, não dá para dissociar de uma palavra mágica chamada reputação, que também está diretamente ligada à confiança. A reputação nada mais é que o maior bem construído de uma empresa, no qual possui um valor intangível, que muitas vezes pode ultrapassar os bens tangíveis (prédios, equipamentos, carros, entre outros bens materiais que podem ser calculados).

No mundo atual, a reputação se torna para as organizações um diferencial em relação à concorrência, outras categorias de produtos etc. Isso é um assunto sério. Por que este bem se torna tão importante? Vou exemplificar melhor: o que difere um sabão em pó do outro? O que faz o consumidor escolher entre uma marca e outra no momento da compra? O consumidor não entende a composição química do produto, mas entende de percepção de marca oferecida pelo composto da reputação.

Além disso, digo mais: vender qualidade é obrigação e não diferencial, atender bem o cliente é obrigação e não diferencial, oferecer um pós-venda adequado também não é um diferencial. Então, o que fará uma marca se destacar em relação à outra? São seus atributos.

Falo isso em algumas reuniões quando o empresário me diz: "Minha empresa possui um melhor serviço, possui um ótimo atendimento, meus funcionários são honestos, de caráter e oferecem um grande profissionalismo". Concordo que são fatores relevantes, mas não temos que nos acostumar que estes atributos são diferenciais. Eles fazem parte do trabalho cotidiano.

Mas como conquistar a reputação da sua marca? A teoria e a prática de construção de imagem e reputação são similares para o ambiente off-line e on-line, porém o que muda é o ambiente em que se estabelece esta relação com o seu público. Apesar de ambientes diferentes, a construção da reputação on-line e off-line pode estar interligada entre si, pois depende uma da outra para a sua efetivação.

Em tempos de startups e empresas digitais, valor de marca tem sido as palavras-chave. As empresas são construídas pelos seus diferenciais, com equipe altamente qualificada, tecnologia de ponta e resultados de negócios não tão expressivos, por exemplos, mas que valem muito. Por quê? São seus valores de marca que a transformam em marca com alta rentabilidade para os investidores.

Para entender melhor, a reputação é a consequência da boa imagem, que é construída por meio da identidade. É uma sequência: identidade gera imagem, que gera reputação. No processo de comunicação organizacional, estas três palavras (identidade, imagem e reputação) não podem estar dissociadas, mas se torna essencial entender suas diferenças para que gestores possam tomar as medidas certas para bons resultados.

## Identidade corporativa

É importante explicar que a construção da identidade não implica automaticamente na imagem, pois se sustenta por meio do discurso, das ações e dos valores da organização. A imagem é oriunda da opinião pública e da percepção que o público tem da organização. Uma identidade bem construída discursivamente, assentada na prática sobre princípios e valores positivos e bem aceitos publicamente tende a produzir uma boa imagem e, consequentemente, a longo prazo, uma boa reputação.

A identidade da organização é composta por toda a comunicação e processos produzidos internamente. Vai muito além do nome, logomarca, slogan, folder e site.

A identidade corporativa inclui: as instalações, uniformes, modo como a atendente fala com o cliente, mensagens passadas, publicidade, entre outras peças produzidas. Produtos, serviços, *call center*, respostas dadas ao cliente, tempo de resposta e todo o processo de pós-venda também fazem parte da identidade corporativa da empresa, pois o produto oferecido (de qualidade ou não) transmite uma percepção e uma mensagem ao cliente. Sua experiência com o pós-venda, por exemplo, impacta na relação, de forma positiva ou negativa.

Se a empresa preza por matérias-primas sustentáveis e valoriza os colaborares, isso faz parte da identidade. Então, no processo de construção de identidade deve ser avaliada a empresa como um todo, e não somente a comunicação transmitida. Confundir isso é um erro estratégico.

Também na visão de Almeida, a identidade organizacional é a autoanálise de quem somos enquanto organização:

> A identidade organizacional vai além das percepções do que representa a organização, considerando os sentimentos e pensamentos dos próprios membros sobre o que os define como uma organização. Sua projeção se revela nas histórias e nos comportamentos do dia a dia. Podemos dizer que a identidade corporativa requer perspectivas gerenciais, enquanto a identidade organizacional requer perspectivas da organização como um todo.[2]

Na identidade corporativa, o que vale são os símbolos, ou seja, as imagens que interpretam o que a empresa faz e o que deseja transmitir,

2 ALMEIDA, 2009, p. 223.

por meio de fotografias, ilustrações, material gráfico, marcas e logotipos. Por meio da comunicação, a organização pode escolher e direcionar as mensagens a serem transmitidas a cada segmento de público. Se essas mensagens não forem coerentes, pode haver falhas na percepção de seus *stakeholders* internos e externos.

Uma forte identidade corporativa traz os seguintes benefícios: motiva os empregados, inspira confiança entre os grupos externos da organização, reconhece o propósito vital dos clientes e transmite o papel essencial dos investidores financeiros.

## Identidade digital

O site da empresa, *emailmkt*, newsletter eletrônica, intranet, vídeos realizados, *lives* (ao vivo), interação com influenciadores, entre outras ações on-line fazem parte da identidade corporativa, conforme vimos nas descrições acima.

A comunicação estabelecida nas mídias sociais, no que diz respeito à estratégia adotada no mundo on-line, as mensagens postadas, interação realizada, o mapeamento do público e o estreitamento da relação também fazem parte da identidade, que quando bem-feita gera uma boa imagem para a organização. Podemos chamar de identidade corporativa digital ou on-line, como preferir, mas o que é certo é que a comunicação e a mensagem são feitas no mundo on-line.

A construção da identidade precisa ser realizada minuciosamente com estratégia. Como dito no capítulo 1, o público espera das redes sociais aproximação, interação, engajamento, participação e relação de confiança para que você seja relevante e tenha credibilidade no seu grupo de amigos. Conquistar isso requer tempo, estratégia e plano de ação predefinido de acordo com o público.

É importante mencionar o público, mensagem e canal (onde será postado a informação). Uma comunicação somente de interesse do seu fornecedor, por exemplo, não pode ser no mesmo espaço que o público final, mas ao mesmo tempo uma informação pode ser coincidente para ambos os públicos. Para isso, precisa de estratégia e definição de um plano de ação.

Outro fator relevante é a interação estabelecida nas redes sociais. Vou dar um exemplo simples: quando quero ser seu amigo, eu não entro na sua casa e digo "A partir de hoje, eu sou seu amigo". Esta amizade é conquistada com o tempo. Primeiro, eu te conheço, percebemos que nos interessamos pelos mesmos assuntos (ou o mesmo esporte, ou o time de futebol, ou a banda de rock preferida, ou pela profissão etc.) e que frequentamos lugares similares e, a partir daí, com o tempo, os laços são estreitados. A relação passa a ser alimentada por ambos os lados. Não adianta um abastecer a amizade e o outro não ter interesse. Com isso, você passa a sentir confiança em mim.

Na internet, a relação não é diferente, e o desafio é que não o vejo, não conheço sua casa, nem seus pais e filhos. Claro que pode acontecer a relação no mundo off-line, mas não é regra. Estabelecer corretamente uma relação com seus públicos de interesse pela internet também faz parte da identidade corporativa, porque cada aproximação feita pode estreitar ou não a confiança.

A comunicação das redes sociais está baseada no compartilhar, curtir, comentar e visualizar, geralmente feitas por amigos próximos, com relação já estabelecida e com confiança firmada.

O conteúdo da mensagem é outro item fundamental para o estreitamento do laço e que também influencia na identidade corporativa digital. Eu digo que o conteúdo é o fator que move toda a interação, a relevância e aproximação. Há empresas que estabelecem uma comunicação nas redes sociais, colocando somente mensagens de promoção. Será que o consumidor quer ver somente mensagens relacionadas aos serviços e promoções? Tenho certeza que a marca possui outros atributos e ações que o consumidor poderia saber. Além disso, a empresa pode criar uma interação com discussão e brincadeiras criativas. Pode também trazer dicas úteis ou até mesmo relacionadas ao segmento em que atua. Mas claro, tudo depende do objetivo e de um plano de ação para que se faça corretamente.

Também deve prestar atenção que cada rede social possui suas características, e o jeito e a forma das mensagens são diferentes. O que vale para o Instagram, não vale para o LinkedIn.

As mensagens não devem ter um cunho formal, com palavras difíceis de entender ou pré-padronizadas. A comunicação pelas redes sociais é estabelecida pela aproximação, mas não significa necessariamente intimidade. O uso de gírias depende do estilo do negócio. No caso de uma loja de surf é permitido, pois o público permite. As abreviações também são comuns, porém analise se há necessidade e qual é o momento certo de usar. Lembre-se sempre: o que você comunicar determinará sua identidade – o que é e o que representa.

Todos os modos da mensagem devem estar contemplados previamente no plano de identidade digital da organização, de tal maneira que quando a pessoa responsável for colocar em prática, as regras já estejam definidas. Planeje o formato, o tom de voz e as palavras de aproximação.

Uma dica ao desenvolver a estratégia de identidade digital é criar um manual de identidade das redes sociais, pois o gestor definirá o caminho e colocará uma equipe para executar o plano de ação. Como o meio digital é muito rápido e dinâmico, podem acontecer mensagens postadas erroneamente ou que não estejam dentro da identidade corporativa da organização. Para isso, um manual será a linha condutora de como todos devem agir nas redes sociais, evitando surgir uma crise. Neste manual, aponte como deve ser os estilos de mensagens, o que pode ou não, gírias permitidas, públicos importantes etc.

## Imagem corporativa

A imagem corporativa da marca é uma consequência do trabalho realizado na construção da identidade da marca. É a partir da percepção e da interpretação da identidade pelos seus distintos públicos que a imagem corporativa é constituída. Trata-se do reflexo da identidade. Kunsch explica que a imagem é o que passa na mente dos públicos, é o imaginário e a percepções das pessoas. "É uma visão intangível, abstrata das coisas, uma visão subjetiva de determinada realidade".[3]

A imagem pode ser negativa ou positiva e não depende da organização, pois ela não consegue mexer naquilo. Ou ela fez um bom

3 KUNSCH, 2003, p. 170.

trabalho de identidade, ou a imagem passada será falha. Seguindo a teoria da semiótica, por meio dos elementos expostos pela identidade, têm-se as sensações e percepções obtidas nas imagens.

Uma organização se expõe ao público por meio de seus produtos, serviços, pelo atendimento da telefonista, pelos vendedores, pela forma como a empresa defende uma causa pelo cuidado que a empresa tem com seus clientes, entre outros aspectos, como visto anteriormente. Quando o público recebe essas mensagens, ele elabora seu ponto de vista a respeito daquela marca. De forma abstrata, o público constrói sua opinião: essa marca tem um bom atendimento, produtos de qualidade, usa embalagens recicláveis e me dá respostas quando necessário. É a leitura da identidade que dá origem à imagem. Dependendo da percepção de cada público da organização, a imagem pode ser positiva ou negativa.

Se a organização não disponibiliza as informações corretamente, não atende aos pedidos dos clientes, ou os deixa sem resposta, por exemplo, a imagem será provavelmente negativa, e a empresa não conseguirá fugir desta realidade. Aí, a solução é rever o trabalho da identidade, que, aliás, trata-se de uma ação constante.

Esta percepção também é notável na internet por meio dos resultados das ações realizadas on-line, pela aproximação que o público criou com você, o quanto curtiu ou não suas ações, o quanto gerou de compartilhamento, comentou ou interagiu com suas mensagens etc. As redes sociais permitem analisar sentimentos. Neste caso, a leitura será de mensagem por mensagem para chegar a uma conclusão.

## Construção de reputação

A construção da reputação depende diretamente do reflexo da imagem organizacional. Depende também do fator tempo. Não se constrói uma reputação em uma semana, nem em um mês ou seis meses. É um processo que resulta de várias percepções até o público elaborar sua opinião de que aquela organização possui boa ou má reputação. É a soma de todas as imagens construídas com os diferentes públicos.

Não basta também construir uma boa reputação, é necessário sustentá-la, pois se trata de um processo constante que envolve construção, sustentação e manutenção. Uma reputação sólida é criada quando a identidade e a imagem de uma organização estão alinhadas.

A imagem da organização está ligada às opiniões mais recentes do público, enquanto que a reputação reflete uma avaliação e julgamentos do conjunto de valores e percepções transmitidos ao longo do tempo. A obtenção de uma reputação sólida depende do comprometimento da organização em construir uma identidade adequada e que seja percebida por seus *stakeholders* por meio da imagem. Por que se preocupar tanto com a reputação? Argenti responde:

> Empresas com reputações sólidas e positivas podem atrair e reter os maiores talentos, assim como consumidores mais fiéis e parceiros de negócios, que contribuem positivamente para o crescimento e o sucesso comercial.[4]

## Plano de comunicação organizacional

Para a criação, manutenção e sustentação da reputação é necessária a construção de um plano de comunicação organizacional integrado – que segundo Kunsch (2003) é a junção da comunicação institucional, mercadológica, interna e administrativa. A comunicação digital entra dentro do escopo da comunicação organizacional, que deve estar alinhada com as outras ações de comunicação e com o planejamento global da organização.

A comunicação organizacional é construída por meio de um processo que inclui uma análise do diagnóstico para mapear os problemas da organização (análise situacional), análise de mercado (macroambiente), definição de metas, objetivos, estratégias e plano de ação. Para cada público,[5] há uma ação a ser realizada, pois as linguagens, as mensagens, e em alguns casos, os veículos de comunicação são diferentes.

---

4 ARGENTI, 2006, p. 98.

5 Os públicos de uma empresa variam de acordo com o negócio, mas chamam-se de público aqueles a quem se deve enviar uma mensagem. São eles: colaboradores, acionistas, fornecedores, distribuidores,

A construção de um plano de comunicação digital também engloba esta sequência de análises e ações, mas voltado para o ambiente on-line.

Outro processo fundamental que sustenta a reputação de uma marca é o plano de gestão e gerenciamento de crise para, quando surgir uma ameaça, a organização saber como agir. Os públicos percebem quando a empresa sabe lidar em momentos de crise e dá respostas rápidas como forma de transparência e respeito. Uma crise bem administrada e com respostas adequadas demonstra o profissionalismo da empresa e o quanto ela está preparada com os rumores do mercado.

A reputação em momentos de crise se torna um crédito que foi conquistado em momentos calmos, por meio da comunicação consolidada. Quando uma crise se desencadeia e expõe a marca em situação delicada, esses créditos são os que salvarão a empresa de ter sua reputação atingida negativamente. O consumidor poderá ficar do lado da empresa, o acionista compreenderá que foi um acidente e que a situação está sendo regularizada, e o público interno acreditará na empresa e fará todos os esforços para que a produção se mantenha e o negócio continue.

Atenção na gestão e gerenciamento de crise nas redes sociais. O fator tempo e o conteúdo das mensagens são essenciais. Se no processo de gestão e gerenciamento de crise convencional as empresas devem dar um posicionamento ao seu público dentro de três horas, nas redes sociais este tempo cai para uma hora, pois três horas pode ser uma eternidade. O ideal é quanto antes melhor para evitar que sua marca esteja se expondo negativamente sem a resposta devida. Além disso, o efeito multiplicador nas redes sociais é muito maior, o que pode virar uma grande bola de neve, sem saber como conter a opinião pública.

## O papel da liderança na reputação da marca nas redes sociais

O desafio da comunicação digital é conscientizar os diretores e presidentes das organizações a relevância deste trabalho para as empresas na era da contemporaneidade. As formas de se relacionar mudaram, e fazer ação de comunicação digital não é somente fazer cadastro nas redes.

---

revendedores, sindicatos, associações, universidades, imprensa, governo e clientes.

Trabalho mal feito e sem estratégia pode custar caro, influencia diretamente a identidade da empresa e consequentemente afeta a imagem organizacional.

A comunicação digital deve ser vista como um departamento dentro da organização, assim como há a comunicação interna, comunicação institucional e comunicação mercadológica. Cada empresa faz a sua divisão, de acordo com o tamanho do negócio e importância que dá para a comunicação estratégica. O importante é discutir internamente para que haja uma organização para que os resultados sejam efetivos.

A comunicação digital deve estar inserida dentro da comunicação organizacional para ter o mesmo alinhamento estratégico de comunicação, que está diretamente ligada ao plano global da organização. Seguindo a linha de raciocínio de Kunsch (2003), acrescento a comunicação digital como sugestão para as corporações organizarem dentro do seu organograma.

A comunicação digital nas organizações não pode ser somente uma tarefa a mais de um analista de comunicação, pois a ação se torna algo mais ou menos assim: "Recebi ordem da diretoria para entrar nas redes sociais, mas não há verba para contratar alguém ou para uma agência fazer, precisa incluir na lista de atividades. Coloco ou programo alguns posts". Ouvi este depoimento de uma coordenadora de comunicação.

Outra realidade é colocar o estagiário para fazer sem critério, estratégia e plano de ação. Vocês devem ter percebido que falo muito em estratégia em comunicação, mas se faz necessário entender qual o objetivo da ação, com quem devo falar, o que falar, como falar, quando falar e quais os recursos necessários.

Diante das informações que o público recebe, sua mensagem deverá se tornar relevante aos olhos do público, de tal maneira que traga resultado. Pela falta de experiência e maturidade, um estagiário não tem conhecimento para tanto. Ao mesmo tempo, tal ação não pode ser uma atribuição de encaixe do departamento de comunicação, ou seja, "encaixa aí na sua lista de tarefa". Não estou querendo dizer que o estagiário não tem competência, mas comunicação trata-se de um trabalho de equipe, no qual todos expõem suas ideias e argumentos para montar uma ação. Cabe ao coordenador ou gerente organizar todas elas, ver o que é relevante e montar o plano de ação.

Dependendo da ação, a comunicação digital se encontrará com a comunicação off-line, se cruzando para obter mais efetividade. Com a convergência digital, toda a comunicação precisa estar alinhada. Assim mais pessoas podem visualizar a marca e a mensagem desejada. Também acontece de o mundo on-line estimular a participar de uma ação do ambiente externo.

Ações no mundo on-line sem determinação para onde quer ir e chegar, e sem aproximação com o público – ou seja, sem organização de um plano – podem gerar crise. Não saber fazer pode expor a marca e atingir sua reputação.

No que também é necessário prestar atenção nas redes sociais são nos erros de português quando está elaborando a comunicação digital. Há empresas que colocam *posts* com erros de concordância e de grafia.

Para uma empresa, não pega bem. São aceitáveis nas redes sociais as abreviações, falta de espaço entre a pontuação e a palavra, mas erros de português não podem ser considerados normais para uma organização que quer a admiração e confiança do seu público.

Detalhes – quem vai fazer, que tipo de informação colocar, quem vai coordenar e controlar as mensagens etc. – devem estar contemplados no plano de ação. Alguns jovens da geração Y possuem a característica da agilidade e fazem tudo muito rápido nas redes sociais, porém por conta da distração acabam deixando passar alguns detalhes. Por exemplo, um grande jornal de São Paulo postou uma notícia na versão on-line com a acentuação de crase no termo "à partir". Isso gerou uma discussão nas redes sociais, apontando a irresponsabilidade do jornal em não conferir o trabalho entregue ao público. E ainda se iniciou uma discussão que o jornal explorava jovens jornalistas e pediam para que eles produzissem muito em pouco tempo, o que gerava falhas como essas. Um erro de português, ou melhor, uma distração de português gerou uma crise em um dos veículos de comunicação mais respeitados do país.

Um dos quesitos de prevenção para a sua organização não se envolver em uma crise on-line é saber como fazer comunicação digital. Este é um dos processos da gestão de crise.

## Capítulo 5

# CULTURA DAS EMPRESAS PARA CRISES

A ideia de crise organizacional é extremamente nova para as organizações, como também para o campo acadêmico. São poucas literaturas sobre o tema no Brasil, o que deixam mais lentos os estudos e avanços do mercado. Trata-se de uma área de atuação que ganhou destaque nos últimos trinta anos, se tornando uma área de pesquisa autônoma.

Em muitos países, incluindo o Brasil, as crises fazem parte de uma subárea das Relações Públicas, que possui a função de se comunicar com os diferentes públicos, como também realizar negociações. Trabalhar com crise é uma tarefa multidisciplinar, pois depende de cada setor, e todos devem estar envolvidos no processo de mapeamento de risco, identificação, monitoração e prevenção.

Os Estados Unidos são os países que mais estão a frente com a linha de pesquisa, a atuação e a aplicabilidade nas organizações de projetos de gestão de crise. Para melhor entendimento, chamamos o processo de gestão de crise toda a etapa prévia que inclui o mapeamento dos riscos, levantamento dos *stakeholders* e plano de ação detalhado se uma crise acontecer. O gerenciamento de crise é o momento em que se coloca em prática ações planejadas no processo de gestão de crise, ou seja, é o momento em que a crise acontece e há a necessidade de tomar atitudes para que não avance e exponha a imagem organizacional.

O grande marco, que fez as organizações se atentarem às crises, e que chamou a atenção sobre as vulnerabilidades de um negócio e sua dimensão para os efeitos de uma marca foi o caso Tylenol, como já mencionado no capítulo 3.

O caso Tylenol contribui ao mundo acadêmico para pesquisar e aprofundar sobre o assunto. O americano é líder mundial em estudos de crises organizacionais, com as melhores pesquisas, extensas bibliografias e profissionais capacitados. Está na cultura americana conhecer os riscos em que estão inseridos e tentar minimizar e evitar, pois não gostam da sensação do desconhecido e de estar vulnerável a alguma situação.

De acordo com Philippe d'Iribarne (2009), o medo está inserido na cultura americana e está "à mercê das ações de outrem", o que faz concluir o desejo do americano em se precaver e se prevenir de ações desconhecidas, como o caso de crises. O americano também não gosta da sensação de perder o controle do seu destino, o que o faz estar na constante busca desta segurança.

> O sentimento de um perigo evocado pelos termos *insecure, insecurity, danger attack* é onipresente. Frente a esse perigo, o desejo de se proteger é afirmado sem trégua. A questão é defender-se (*defense, self-defense, precautions, guarded against, resist, counteract, protect*), servindo-se dos meios apropriados (*armed sentinel*). Trata-se de atingir uma situação em que nos encontramos em segurança.[1]

Talvez este medo e a necessidade constante de segurança sejam o real motivo que os fazem ser grandes pesquisadores e referência em crises. Também investem em novas tecnologias, sistemas severos de monitoramento, equipe altamente qualificada e planos robustos de ação de mitigação, emergência e contingência. Quando a crise acontece, todos já estão à disposição, sabem o que fazer e tomam as principais medidas.

1 D'IRIBARNE, 2009, p. 21.

## E a cultura brasileira?

Antes de prosseguir sobre as características brasileiras, é importante entender o que chamamos de cultura. Segundo Tanure, cultura nacional é "um conjunto de valores compartilhados por um grupo de pessoas dentro das fronteiras nacionais ou dos limites regionais expressos através de comportamentos, símbolos e rituais".[2] Tais características, o ser humano aprende quando criança com seus pais. A cultura depende diretamente do modo de pensar, de agir, de crenças e da religião de um determinado grupo.

> A programação cultural começa no ambiente em que a criança nasce, normalmente uma família. Continua na escola; e o que acontece na escola só pode ser compreendido através do conhecimento do que acontece antes e depois dela. Continua no trabalho, sendo o comportamento dos trabalhadores uma extensão do comportamento que adquiriram quer no ambiente escolar quer familiar. O comportamento dos gestores é tanto uma continuação das suas experiências na família e na escola, como o reflexo do comportamento dos subordinados (HOFSTEDE, 1991, p. 272).

A cultura organizacional acontece dentro de organizações públicas ou privadas, e reflete diretamente no que pensa, age e se comporta. Também estão ligados aos mitos, símbolos, metáforas, normas de comportamento e sistemas de valores. São diretamente influenciados pelos donos, presidentes e diretores da empresa, e são impactados pela região em que estão. "A cultura promove uma visão da organização como forma expressiva, manifestação da consciência humana".[3] O direcionamento da cultura organizacional está ligado à cultura nacional.

Dentro da cultura nacional, os brasileiros, apesar de tão experientes com as crises econômicas e políticas que vivenciaram nas últimas quatro décadas, ainda não são amadurecidos quanto às crises de imagem corporativa. Não existe um estudo específico sobre o assunto, mas há algumas hipóteses: por falta de experiência, conhecimento e amadurecimento dos

---

2 TANURE, 2009, p. 30.

3 FREITAS, 1991, p. 6.

reflexos para a organização; por achar que "Deus é brasileiro" e tudo se resolve; ou que com o famoso jeitinho tudo se encaixa.

Também há hipóteses de que pelo fato de o país não ter passado por grandes guerras, terremotos, furacões ou outra catástrofe de grande natureza, faz com que o brasileiro não tenha o perfil de se planejar e prevenir para momentos difíceis, ao contrário dos americanos, europeus e japoneses.

Essas programações mentais, que estão ligadas diretamente à cultura (Hofstede, 1991), fazem com que a maioria dos gestores brasileiros não possua o amadurecimento de colocar dentro do seu planejamento organizacional um plano de gestão de risco e crise.

E quando uma crise organizacional acontece, é comum o executivo ou o dono da empresa falar algumas destas frases: "Vamos esperar para ver o que vai dar"; "Compra o jornalista para não falar da gente"; "Paga o influenciador para ele parar de falar da gente"; "Vamos ficar quietos até a onda passar"; "A melhor resposta é aquela que não se dá", "Não vamos nos pronunciar sobre o caso"; "Meu negócio não possui risco"; "Liga para o dono do jornal e peça para tirar os anúncios se não parar de falar da gente" etc. Estas frases são comuns de serem ouvidas em momentos de crise no universo corporativo brasileiro. Também é comum usar o "jeitinho brasileiro" no processo de gerenciamento de crise, acessando relacionamentos influentes (como suborno ou propina) para escapar da crise.

Para melhor entendimento, estas frases e comportamentos foram relacionados com características do universo brasileiro, conforme analisado e desenhado por Tanure e Prates (1996).

| ***Exemplos de frase e comportamentos*** | ***Traços culturais*** |
|---|---|
| "Vamos esperar para ver o que vai dar" | Postura de espectador |
| "Compra o jornalista para não falar da gente" | Concentração de poder |
| "Vamos ficar quietos até a onda passar" | Postura de espectador |
| "A melhor resposta é aquela que não se dá" | Personalismo |
| "Não vamos nos pronunciar sobre o caso" | Postura de espectador |
| "Meu negócio não possui risco" | Paternalismo |
| Uso de relacionamento influente no gerenciamento de crise | Personalismo |
| "Liga para o dono do jornal e peça para tirar os anúncios se não parar de falar da gente" | Paternalismo (Patriarcalismo) |

Neste quadro, com exemplos de algumas frases ditas em momentos de conflito, o que mais se destaca é a "Postura de espectador" – de acordo com o estudo de Barros e Prates (1996), no qual não existe a característica de assumir responsabilidade e, em alguns casos, transferir para o outro.

Também faz parte da cultura brasileira achar um culpado para determinadas situações para não se envolver com o problema. Em momentos de crise, é comum que a empresa transfira a culpa para o fornecedor, ou que dê diversos argumentos para se eximir em vez de assumir e resolver. Dentro deste traço cultural, também há a característica do "mutismo, baixa consciência crítica, baixa iniciativa, pouca capacidade de realização por autodeterminação e de transferência de responsabilidade das dificuldades para as lideranças".[4]

A concentração de poder é algo enraizado em nossa cultura. Afinal, o Brasil esteve subordinado ao poder dos militares por muitas décadas e obedecer ao outro, sem questionar, se tornou algo habitual, como também amedrontar ou ameaçar o cidadão para mostrar quem manda. Não é de se estranhar que alguns cidadãos achem que há poderes especiais, ao obter facilidades em algumas situações.

O personalismo é outro traço cultural observado nestes exemplos de frases. No Brasil, há sempre as diferenças apontadas entre quem tem o poder ou não, quem tem a vantagem e até mesmo quem é superior e inferior. Esta situação não é comum somente aos que têm o poder social mais elevado, mas também é normal encontrar pessoas em cargo de poder que dizem, por exemplo: "Sinto muito senhor, terá de esperar", ou "Senhor, nada posso fazer", ou "Tire seu carro desta vaga". O brasileiro é acostumado com as diferenças e sente-se confortável com o poder, "humilhando" ou "desqualificando" o outro.

A combinação da concentração de poder e personalismo faz chegar a outra característica, o patriarcalismo – também presente em situações de crise.

> Carregamos em nossa cultura o valor de que o patriarca tudo pode e aos membros do clã só podem pedir e obedecer; caso

4 BARROS, PRATES, 1997, p. 61.

> contrário a rebeldia pode ser premiada com sua exclusão do âmbito das relações.[5]

Então, em momentos de crise, é comum o "chefe" pedir para a empresa jornalística que pare de falar da organização, caso contrário não continuará com o contrato publicitário. Ou apague o *post*, ou tire a conta das redes sociais, mesmo o departamento de marketing não concordando. É o uso do poder de subsistência para conseguir algo a favor.

O jeitinho brasileiro faz parte da cultura nacional e é aplicado nas organizações e em situações de crise. O famoso jeitinho está ligado à ambiguidade – "não é bem isso, mas também não é aquilo". Pode ser positivo, mas também negativo. O jeitinho está muito interligado com a malandragem – aquele que se dá bem em cima do outro, que bate carteira, que libera ou recebe propina, que engana, seduz e quer se dar bem (MOTTA, 1997).

## Traços culturais positivos em momentos de crise

Para o lado bom da história, o jeitinho brasileiro é "uma prática cordial que implica personalizar relações por meio da descoberta de um time de futebol comum ou de uma cidade natal comum, ou ainda de um interesse comum qualquer".[6] É uma característica que está muito próxima da malandragem (no bom sentido) – um malandro é amigo e possui influências.

Segundo Freitas (1997), "o jeitinho é mais que um modo de viver, é uma forma de sobreviver". É agir com inteligência, jogo de cintura, sabendo lidar em diferentes situações, pessoas e lugares.

Sendo flexível consegue adaptar-se às mais diversas situações, saindo-se quase sempre bem das ocasiões difíceis. Um malandro é aquele que, por ser dinâmico e ativo, busca soluções criativas e inovadoras.

5 BARROS; PRATES, 1997, p. 60.

6 MOTTA; 1997, p. 34.

Tem sensibilidade para se relacionar, captando com precisão o perfil psicológico das pessoas e as características da situação.[7]

Ao usar o lado positivo do jeitinho brasileiro, o gestor desfruta de uma das medidas adequadas para o processo de gerenciamento de crise. Outra característica que quando bem aplicada também pode ser uma grande aliada em momentos difíceis é o personalismo. Em vez de usar os relacionamentos para burlar as leis, o brasileiro pode usufruir da rede de contato e da camaradagem para explicar amigavelmente o que aconteceu, abrir as portas da empresa como uma política de transparência e estabelecer uma relação amigável com os jornalistas ao transmitir informações certas à medida que os fatos forem acontecendo. Não significa ter intimidade, tratando-os com beijos e abraços.

Este traço cultural, quando bem aplicado, pode ser extremamente benéfico, pois nessas horas estabelecer uma relação de superioridade e com diferenças de hierarquia com o jornalista é uma péssima alternativa. "Os brasileiros são conhecidos por seu 'calor humano' no tratamento pessoal. Evitamos ao extremo as soluções violentas, preferimos a conciliação, a amizade."[8]

Em período de mudanças constantes da humanidade em escala mundial, no qual seus comportamentos são influenciados por outros, é necessário que as organizações revejam seus processos, realizando autoanálise sobre seus comportamentos, ações e pensamentos desde o topo da pirâmide (com seus gestores) até a base (parte operacional).

Ao realizar essa autoanálise de visualizar as mudanças significativas a serem feitas na cultura organizacional, a sugestão é que as empresas considerem também as atitudes para gestão de crise. Implantar cultura não é um plano que se coloca em prática repentinamente. Trata-se de um processo cujo resultado se consegue em longo prazo, mas se bem feito é satisfatório.

Em muitos casos, para um melhor resultado da aplicabilidade do processo de gestão e gerenciamento de crise, é necessário implantar previamente uma nova cultura para que, no momento de crise, o

7 FREITAS, 1997, p. 50.

8 FREITAS, 1997, p. 48.

colaborador responda em nome de cultura organizacional, previamente planejada.

As nações devem rever suas culturas e entender o que pode mudar ou trazer desses traços culturais a seu favor para que riscos não venham à tona. As organizações devem vir de encontro a esses processos. No caso do Brasil, rever o conceito do uso do jeitinho brasileiro para negociar com atores estratégicos problemas em questão. E usar do personalismo para que todos como "amigos" possam jogar no mesmo lado, evitando e prevenindo crises, que podem ou não atingir a humanidade.

Quando se fala em crises organizacionais, que afetam uma organização, governo, população, não dá para não colocar no plano estratégico a cultura, que deve ser analisada, revista e planejada conforme as mudanças comportamentais da humanidade. Afinal, hoje as organizações são multinacionais e diretamente interferidas por diferentes culturas.

Considerando o mundo veloz e de novos valores, no processo de construção de cultura deve-se considerar princípios éticos, diversidade cultural, ambiente digital, processos migratórios e pensamento em torno de riscos e crises.

# CAPÍTULO 6

# *CASES*: COMO APRENDER COM OS ERROS

Aprender com os erros e acertos dos outros faz com que a conscientização seja maior e assim se evita cometer as mesmas falhas. Os grandes acertos corporativos são oriundos de um erro ou de uma ação malsucedida, e todos aprendem com isso. Vale para a vida profissional, pessoal, relação com a família, na construção de projetos, desenvolvimento de novos produtos etc.

Mesmo quando se age com cautela, realizando planejamentos, se corre o risco de, quando sair do papel e forem colocados em prática, tais planos se mostrarem não serem os mais adequados, havendo a necessidade de revê-los até acertar o trilho. Revisão de planos deve ser constante e com isso aprendemos com novos caminhos. Ou com experiência própria ou acompanhando uma ação malsucedida do outro.

Quando analisamos e estudamos *cases* não significa colocar o dedo na ferida ao apontar falhas, furos e deslizes das organizações nas redes sociais. No ambiente virtual, todos (sempre) estão aprendendo e tenho certeza que se tais organizações pudessem tê-las evitado, teriam feito. Então, o caminho é conhecer os riscos, tentar minimizá-los e trabalhar com gestão de crise.

Para construir este processo, se faz necessário entender como as crises são construídas na prática nas redes sociais. Pelo fato de as pessoas estarem mais presentes nas redes sociais, consequentemente, debatendo assuntos de repercussão, as organizações públicas e privadas e também grandes personalidades estão mais expostas a comentários negativos e uma crise de imagem.

## United Airlines

A companhia aérea United Airlines já passou por algumas crises nas redes sociais de reconhecimento e repercussão mundial com direito a sequelas graves.

Uma delas, que serviu como lição de casa para a própria companhia, aconteceu em março de 2008, quando o músico Dave Carroll, do grupo Sons of Maxwell, estava viajando com a banda da cidade canadense Halifax para o estado norte-americano de Nebraska. Ele estava fazendo uma conexão em Chicago, quando percebeu que os carregadores de bagagem estavam jogando os equipamentos na esteira sem qualquer cuidado. Dave reclamou com os funcionários e avisou sobre a fragilidade dos equipamentos, mas não deram atenção. Ao chegar ao destino, percebeu que seu violão da marca Taylor, de 3.500 dólares, tinha quebrado. Ele reclamou várias vezes com a companhia aérea, mas não obteve resposta para receber a indenização no valor do equipamento. Após diversas frustrações, Dave criou a música *United Breaks Guitar* (United quebra violões), contando o caso – com uma melodia gostosa de ouvir e de fácil disseminação –, gravou um videoclipe e postou no YouTube. Resultado: a música e o caso ganharam repercussão mundial.

Além das redes sociais, Carroll foi notícia na imprensa, deu entrevista para a TV e criou o site www.unitedbreaksguitar.com, que depois foi migrado para https://www.davecarrollmusic.com.

A United Airlines reconheceu a falha. O diretor da empresa da época, Rob Bradford, considerou a música excelente e de ótima criatividade. Por conta disso, Rob ligou para Carroll para desculpar-se e pediu permissão à banda para usar o vídeo em treinamento interno com os colaboradores com o objetivo de ensiná-los com o incidente. A United se ofereceu em comprar um violão novo e um crédito de 1.200 dólares em viagens, mas a banda negou. A única indenização que queria, após diversas tentativas, era a doação de 3 mil dólares para o Instituto de Jazz Thelonious Monk.

Mesmo com a boa vontade da diretoria da United, o caso ganhou repercussão e até hoje é revisto. Em um dos vídeos postados, mais de 19 milhões de pessoas já o tinham assistido.[1] Depois da música, outras versões foram criadas usando o nome da United e um livro foi escrito *United Breaks Guitars: The Power of One Voice in the Age of Social Media.*

Outra crise da United (2017)[2] com alcance mundial foi o caso do médico que tentava voltar para casa para ver seus pacientes. Por conta de um voo lotado – de Chicago a Louisville, no qual precisava alocar uma outra tripulação, o médico foi o escolhido para ser retirado à força por três seguranças, arrastando-o pelo chão, com a camiseta levantada mostrando a barriga e óculos por cair. Um passageiro gravou a cena e publicou nas redes sociais. O *post* de Tyler Bridges, no qual marca a companhia @United, @FoxNews e @CNN, chegou a quase vinte mil retuítes, mais de dezessete mil curtidas e mais de oito milhões de visualizações do vídeo.

Consequência: após a repercussão do vídeo, dois dias depois, a empresa percebeu o real impacto – o financeiro, além da reputação e confiança. As ações da empresa tiveram uma queda de 1,1%, retirando 250 milhões de dólares do valor de mercado da companhia. Mesmo com pedidos de desculpas do presidente com relação ao caso, o mercado não perdoou e ao longo daqueles dias de pregão, o prejuízo chegou a 1 bilhão de dólares. Mais uma vez, a imagem da United foi colocada em uma situação vulnerável com repercussão de celebridades e internacional.

O que aprender com o caso da United: a importância dos funcionários se envolverem com os riscos do negócio, como agir quan-

1 Número baseado no acesso de 26 de julho de 2019.

2 PASSAGEIRO É ARRASTADO DE VOO DA UNITED AIRLINES; FUNCIONÁRIO É AFASTADO. O *Estado de S. Paulo*. 10 abr. 2017. Disponível em: <https://internacional.estadao.com.br/noticias/geral,passageiro-e-arrastado-de-voo-da-united-airlines-funcionario-e-afastado,70001733998>. Acesso em: 26 jul. 2019.

do algum problema acontecer, se sensibilizar com o cliente, entender que uma marca é feita por pessoas e que toda repercussão chegará no universo on-line, quando os meios tradicionais não funcionarem eficientemente.

## Arezzo

O caso da marca de bolsas e sapatos Arezzo, o qual vamos analisar a seguir, é diferente, pois não houve falha de produto, mas sim desatenção da empresa em relação a suas estratégias de marketing. Acompanhei bem de perto os fatos para efeito de pesquisa acadêmica. No dia 14 de abril de 2011, a marca lançou oficialmente a coleção Pelemania, na rua Oscar Freire, cujo anúncio também foi feito aos internautas dias antes. Na data marcada, a Arezzo anunciou a campanha no Facebook, Twitter e demais mídias. A coleção trazia peças, como bolsas, echarpes e detalhes de sapatos, com pele de raposa, coelho e cobra, que segundo a marca seguia as tendências da Europa. O público na internet não perdoou e discutiu o assunto por todo o fim de semana (entre os dias 15 e 17 de abril), colocando a marca nos Trendings Topics do Twitter (assunto mais comentado).

A revolta dos internautas rendeu centenas de *posts* em blogs, Twitter e Facebook, além de diversas matérias na imprensa, como no jornal *Folha de São Paulo,*[3] sites de notícias UOL[4] e iG.[5]

De acordo com a metodologia de análise de conteúdo, na qual avaliam os argumentos e o tom das mensagens, os *tweets* sobre o assunto

---

3 GRANJEIA, Julianna. Arezzo retira de lojas produtos fabricados por pele exótica. Folha.com. abr. 2011. Disponível em: <http://www1.folha.uol.com.br/mercado/904256-arezzo-retira-de-lojas-produtos-fabricados-com-pele-exotica.shtml>. Acesso em: 23 out. 2011.

4 DEPOIS DE PROTESTOS, AREZZO DECIDE RECOLHER COLEÇÃO COM PELES VERDADEIRAS. *UOL*. 18 abr. 2011. Disponível em: < https://www.uol.com.br/universa/noticias/redacao/2011/04/18/depois-de-protestos-arezzo-decide-recolher-colecao-com-peles-verdadeiras.htm?cpVersion=instant-article >. Acesso em: 23 out. 2011.

5 GAZZONI. Marina. Arezzo recolhe peças com pele de animais após polêmica no Twitter. *iG São Paulo*. 18 abr. 2011. Disponível em: <http://economia.ig.com.br/empresas/comercioservicos/arezzo+recolhe+pecas+com+pele+de+animais+apos+polemica+no+twitter/n1300082648150.html>. Acesso em: 23 out. 2011.

demonstraram indignação, movimentação para boicotar a organização e não consumir os produtos da marca, que desrespeitou os princípios do consumidor. Além de repercutir na imprensa, veículos de comunicação presentes nas redes sociais também trouxeram a notícia, multiplicando os fatos para outro grupo maior de pessoas.

Na era da sustentabilidade, os consumidores exigem respeito das marcas, com produtos ecologicamente corretos, mesmo estando com todos os certificados e dentro da lei, como justificou a Arezzo. Proteger o meio ambiente, os animais e respeitar a vida já devem fazer parte da filosofia das organizações. Ciente de que errou, no dia 18 de abril de 2011, a Arezzo veio a público, anunciando a retirada do produto e com o seguinte comunicado, publicado em seu site e liberado para as redes sociais e imprensa:

> *Prezados consumidores,*
>
> *A Arezzo entende e respeita as opiniões e manifestações contrárias ao uso de peles exóticas na confecção de produtos de vestuário e acessórios. Por isso, vimos por meio deste nos posicionar sobre o episódio envolvendo nossas peças com peles exóticas - devidamente regulamentadas e certificadas, cumprindo todas as formalidades legais que envolvem a questão.*
>
> *Não entendemos como nossa responsabilidade o debate de uma causa tão ampla e controversa. Um dos nossos principais compromissos é oferecer as tendências de moda de forma ágil e acessível aos nossos consumidores, amparados pelos preceitos de transparência e respeito aos nossos clientes e valores.*
>
> *E por respeito aos consumidores contrários ao uso desses materiais, estamos recolhendo em todas as nossas lojas do Brasil as peças com pele exótica em sua composição, mantendo somente as peças com peles sintéticas. Reafirmamos nosso compromisso com a satisfação de nossos clientes e com a transparência das atitudes da Arezzo. Atenciosamente, Equipe Arezzo*

Os gestores da empresa tiveram algumas falhas no que diz respeito ao gerenciamento de uma crise nas redes sociais: entraram em uma crise sem planejamento; demoraram em dar respostas (três dias é um tempo muito longo nas redes sociais); falta de alinhamento de discurso; falta de profissionais adequados que direcionassem para a solução da crise e forma correta de escrever o comunicado.

De acordo com a análise retórica, "instrumento de pesquisa crítica da comunicação que envolve a descrição, análise, interpretação e avaliação de atos retóricos",[6] a Arezzo anunciar em um comunicado de crise que *"Não entendemos como nossa responsabilidade o debate de uma causa tão ampla e controversa. Um dos nossos principais compromissos é oferecer as tendências de moda"* não condiz com um discurso organizacional coerente de uma marca que preza pela sua imagem institucional. Princípios éticos fazem parte dos atos retóricos.

Na era em que as organizações se tornam emissores de informação e são observadas pelos seus atos, não dá para a empresa se pronunciar dizendo que não cabe à marca debater um assunto tão polêmico. Sim, cabe à marca discutir assuntos referentes à origem da sua matéria-prima e é de sua responsabilidade saber o que está produzindo, qual tipo de mão de obra e os processos usados. "Diante de uma crise de legitimidade, a organização perde, ou corre o perigo de perder, um dos maiores tesouros, segundo a Bíblia: seu bom nome."[7]

O interessante da crise da Arezzo é que sua repercussão se iniciou na internet e não na imprensa, como geralmente acontecia anos atrás. O debate do público indignado ganhou as redes sociais, e a imprensa noticiou o caso, o que demonstra suma importância dos gestores em saber como realizar a gestão e o gerenciamento de crise nas redes. Na segunda-feira, dia 18, quando a marca se pronunciou, o presidente deu algumas entrevistas e afirmou que não concordava com a retirada do produto do mercado, porque era uma tendência de moda, mas que estava respeitando o consumidor e internautas.

O discurso mal feito da Arezzo demonstra o despreparo das organizações e de gestores de comunicação em lidar com as crises nas

---

6 HALLIDAY, 2009, p. 43.

7 Ibid., p. 48.

redes sociais. Percebe-se que nas entrevistas dadas faltou sensibilidade em entender a crise e o posicionamento correto a ser tomado. É preciso compreender que a dinâmica das redes sociais é outra: o público, o tom da mensagem e a abordagem são diferentes.

Dentro do princípio de gerenciamento de crise – ou seja, no momento em que a crise acontece – uma das ações é entender que, quando sua marca está envolvida em uma crise de qualquer espécie, independente que esteja certo ou errado, aceite o problema como sendo da empresa e tente resolver da melhor forma. Afinal, a organização está envolvida em um escândalo, em uma situação instável e de desequilíbrio. Outro erro estratégico da organização foi não ter compreendido a crise primeiramente e não ter elaborado um discurso apropriado para seus *stakeholders*. O presidente da organização tirou o produto do mercado, mas continuou defendendo que a marca estava certa com sua tendência de moda e que o tema da pele dos animais não cabia a eles.

Não saber gerenciar uma crise pode fazer com que a empresa entre em outra crise. E isso é o pior que pode acontecer, pois reverter o caso se torna muito mais complexo.

## Americanas.com

Quem entra no site das Americanas.com, talvez não associe a sua tradicional história, que não se iniciou na internet, mas em 1929, quando os americanos John Lee, Glen Matson, James Marshall e Batson Borger embarcaram em um navio com destino a Buenos Aires com a ideia de abrir uma loja com preços baixos. No navio, fizeram contato com dois brasileiros, que os convidaram para conhecer o Rio de Janeiro. Foi então que perceberam que tinham muitos funcionários públicos com salários modestos. A partir da análise da necessidade do público nasceu a primeira unidade das Lojas Americanas, em Niterói, em 1929. No mesmo ano, abriram uma loja em São Paulo.

Me lembro quando criança, período que não havia shoppings distribuídos pela cidade, a alegria que era visitar a Lojas Americanas na rua Direita, no centro de São Paulo. Um passeio para tomar sorvete ou comer waffle. Isso foi uma tradição nos anos 1960, 1970 e 1980. É importante pontuar este detalhe para demonstrar o quanto a marca faz parte da história de muitas famílias e da lembrança de centenas de crianças, que também enchiam os olhos de alegria com os brinquedos com preços baixos.

Em 1999, as Lojas Americanas ganharam a internet para monitorar a tendência de comércio eletrônico. Também acompanhei o período de lançamento da marca, quando trabalhava como repórter no site de notícias de tecnologia CanalWeb. Sua vantagem era que a empresa chegava ao mundo virtual com uma reputação estabelecida, já que tinha a confiança dos consumidores, fornecedores e funcionários conquistada do meio externo. Consequentemente, o sucesso on-line também seria garantido.

Em 2006, o grupo abriu a B2W Companhia Global de Varejo, a partir da aquisição do site Submarino.com e Shoptime. Com isso, a empresa se tornava um gigante do comércio eletrônico, com três centros de distribuição, 1.500 funcionários e capacidade para entregar cerca de 1 milhão de encomendas por mês. Estes fatores permitiram que os consumidores confiassem mais nas três marcas com os atributos: preço baixo, fácil navegação, segurança de pagamento e entrega garantida. De tamanha reputação, em 2006, o Procon registrou somente 131 reclamações ao longo de todo ano.

Quatro anos depois, em 2010, as ações da B2W caíram 32% e começaram os problemas internos. Envolvidos com as questões financeiras, a B2W cometeu o erro que agravaria mais o problema e colocaria a empresa em uma crise que abalaria sua reputação: não entregar corretamente as compras eletrônicas de seus clientes e dentro do prazo prometido. O problema se agravou no Natal, quando as pessoas fazem suas compras de presentes e querem recebê-las até a meia-noite, quando o Papai Noel passa de casa em casa. A expectativa dos consumidores não foi suprida. Em janeiro, a empresa possuía 24 mil queixas no site Reclame Aqui. Tais informações foram repercutidas em vários veículos, mas a Exame[8] trouxe uma matéria de capa com a tal polêmica da marca.

O problema se arrastou até maio de 2011, quando a Justiça do Rio de Janeiro determinou que a Americanas.com não poderia realizar novas vendas até que todas as entregas pendentes fossem normalizadas. Caso descumprisse, levaria uma multa de 20 mil reais por dia. A determinação da Justiça foi notícia em grandes jornais do país, entre eles, Folha.com[9] e G1.[10] Na ocasião, a Americanas.com disse que não iria se posicionar diante do caso. Foi nesse momento, como pesquisadora do assunto de crise, que comecei a acompanhar o processo.

A Americanas.com desrespeitou a ordem judicial e continuou vendendo, o que demonstra falta de respeito com o consumidor. Uma semana depois, no dia 2 de junho,[11] a Justiça elevou a multa de 20 mil reais para 100 mil reais.

No meio de toda a crise, a Americanas.com esqueceu de dar satisfação aos seus clientes, e no fim de semana seguinte da determinação judicial, a estratégia da empresa foi intensificar as promoções, ou seja, incentivar as vendas sem dar um retorno ao cliente de quando seria entregue. Nem no site da B2W houve um posicionamento aos *stakeholders* do que estava acontecendo na empresa, o que consequentemente faria as ações despencarem.

Os problemas continuaram ao longo de 2011, e em março de 2012, a confusão se estendia até o Procon de São Paulo determinar a suspensão das vendas de todos os sites da B2W por 72 horas, em razão das mais de

---

8 AGOSTINI, Renata; MEYER, Carolina. Empresas em guerra com o consumidor. *Revista Exame*. 26 mai. 2011. Disponível em: < https://exame.abril.com.br/revista-exame/em-guerra-com-o-consumidor/>. Acesso em: 16 de set. de 2019.

9 JUNIOR, Cirilo. Justiça proíbe Americanas.com de vender no Rio de Janeiro. *Folha.com*. 26 mai. 2011. Disponível em: <http://www1.folha.uol.com.br/mercado/921275-justica-proibe-americanascom-de-vender-no-rio-de-janeiro.shtml>. Acesso em: 16 de set. de 2019.

10JUSTIÇA PROÍBE NOVAS VENDAS DA AMERICANAS.COM NO RIO. *G1 Economia*. Disponível em: <http://g1.globo.com/economia/negocios/noticia/2011/05/justica-proibe-novas-vendas-da-americanascom-no-rio.html>. Acesso em: 16 de set. de 2019.

11 TABAK, Bernardo. Americanas.com segue vendendo no RJ e Justiça eleva multa. *G1 Economia*. Disponível em: <http://g1.globo.com/economia/negocios/noticia/2011/06/americanascom-segue-vendendo-no-rj-e-justica-eleva-multa.html>. Acesso em: 23 out. 2011.

1.500 queixas feitas por consumidores em 2011. Mais polêmica, mais queixas e uma péssima imagem diante do seu maior bem: seus clientes.

Ter falhas na logística do produto não é um dos maiores problemas, mas não dar satisfação, nem retorno ao consumidor é o gatilho para iniciar uma crise de imagem. O consumidor, que compra em qualquer loja, merece uma satisfação verdadeira e honesta do que aconteceu e quando terá o problema resolvido. Não ter resposta, ou dar uma resposta indevida, gera uma crise.

Já se sabe que o consumidor perdoa empresas com problemas, mas desde que aja com transparência e honestidade, no quesito dar retorno ao consumidor.

Este caso da Americanas.com é importante como estudo de caso no universo em que as compras on-line têm crescido exponencialmente. Fica a dica para o comércio eletrônico.

Outro fator importante de se considerar é que a disputa pelo menor tempo de entrega levou a uma crise no comércio eletrônico. Os sites aumentaram o tempo de entrega para garantir que o prazo seja cumprido e diminuíssem os índices de reclamações. Para o consumidor, que aguarda um produto, o que foi combinado é o que precisa acontecer.

## Zara

A marca espanhola Zara – presente em mais de 75 países e conhecida mundialmente por suas coleções elegantes e modernas – se deparou com uma crise de imagem em agosto de 2011, quando o Ministério do Trabalho flagrou oficinas de costuras, que confeccionavam as roupas da marca, escravizando mão de obra. Os funcionários estrangeiros – a maioria da Bolívia – viviam em condições subumanas e com risco de sofrer acidentes.

O flagrante foi feito pelo site de notícia Repórter Brasil[12] e pelo programa A liga, da TV Bandeirantes. Segundo a reportagem, era a ter-

12 PYL, Bianca; HASHIZUME, Maurício. Roupas da Zara são fabricadas com mão de obra escrava. *Repórter Brasil*. Disponível em: < https://reporterbrasil.org.br/2011/08/roupas-da-zara-sao-fabricadas-com-mao-de-obra-escrava/>. Acesso em: 16 de set. de 2019.

ceira vez que a equipe de fiscalização do governo federal tinha se deparado com oficinas neste estado. Segundo relata Band,[13] a irregularidade foi registrada em três oficinas (duas na capital paulistana e outra em Americana, no interior de São Paulo). Além de adultos, foi encontrada uma menor de 14 anos trabalhando em condições inadequadas.

O assunto, além de ganhar o palco da mídia, trouxe uma grande repercussão nas redes sociais, se tornando o Trending Topic do Twitter.

A Zara reconheceu o problema – o que é um ponto positivo – e pagou os direitos cabíveis àqueles trabalhadores, mas falhou em alguns quesitos no processo de gerenciamento de crise: demorou para se manifestar e dar respostas à imprensa, redes sociais e demais públicos. Outra falha foi no discurso apresentado em seu comunicado à imprensa, ao afirmar que a terceirização da oficina não era autorizada. Na minha análise, na era da sociedade do risco, torna-se fundamental que as empresas conheçam seus processos e não privilegiem lucro em vez da qualidade produtiva e da idoneidade de seus fornecedores.

Por outro lado, o ponto positivo da Zara também foi se colocar a disposição do Ministério do Trabalho para resolver o caso e contribuir com as investigações. Outras empresas adotam o perfil de negar o problema e não ajudam na resolução.

Outra dica observada nesta crise foi a presença da advogada da empresa no gerenciamento de crise. O advogado possui uma visão jurídica, já a equipe do marketing e comunicação tem um olhar sobre o impacto na imagem da marca e, consequentemente, nas vendas.

## Caso Vale: estratégia nas redes sociais

A crise da Vale, em Brumadinho (MG), dispensa apresentações, e a proposta aqui é a análise do caso, seu comportamento em termos de comunicação diante da tragédia, e não comentar a crise em si.

13 REDAÇÃO; Zara reconhece trabalho escravo. *Band*. Disponível em: <https://noticias.band.uol.com.br/cidades/noticias/100000450252>. Acesso em: 16 set. de 2019

O rompimento da barragem ocorreu no dia 25 de janeiro de 2019, por volta das 13h30. Mesmo sem informações precisas do acontecimento, o presidente da Vale (na época), Fabio Schvartsman, foi a público, por meio de uma coletiva de imprensa, responder as dúvidas e as primeiras medidas que a empresa estava tomando com o caso. Este vídeo foi disponibilizado no YouTube e no site da empresa, o que mostra uma convergência de mídia. Uma ação off-line imediatamente foi para o on-line.

Em termos de comunicação, entre as primeiras medidas da empresa estavam:

1. colocar em prática o plano de comunicação de crise, feito previamente.
   Uma organização não sabe quando uma crise de grande proporção irá acontecer. Alguns riscos dão sinais e podem ser monitorados para que não venha à tona. A partir dos critérios de monitoramento definidos no plano de emergência (em caso de barragem), ações são tomadas para conter o caso. Todos devem ser envolvidos a partir da mudança do estado de alerta. O plano de comunicação de crise envolve quais ações serão tomadas, o que e como será comunicado para os diferentes públicos. Familiares e atingidos são sempre a prioridade. A comunicação planejada informa, orienta, acalma e traz uma mudança de atitude.
2. o site abria em um layout mais cinzento.
   Uma das estratégias adotadas foi colocar o site em luto, uma forma de mostrar que a marca estava envolvida e sensibilizada com os atingidos e impactados.
3. Página dedicada à crise
   Ao confirmar o rompimento da barragem, a Vale colocou no ar um *hotsite* dedicado às últimas informações da crise. Foi montada uma grande agência de conteúdo, no qual eram postadas informações à medida que iam chegando. Isso era percebido pelo curto período entre uma notícia e outra.

O espaço também trazia a lista atualizada de atingidos, pessoas sem contato e óbitos identificados. Nesta mesma página, foi curioso o apontamento de informações consideradas *fake news*. Ainda trouxe números atualizados, um *call center* dedicado para a situação de crise e uma lista de perguntas e respostas para esclarecer dúvidas.

4. Gestão das redes sociais

   Tanto no site, como nas redes sociais, o primeiro pronunciamento da Vale se deu às 14 horas. Em seu Instagram, a empresa anunciou o fato e contou que toda a cobertura seria feita em tempo real pelo Twitter. Com mais de 112 mil comentários no Instagram, a empresa respondeu os *posts* um a um.

   No que tange ao Facebook, a Vale fixou o *post* da mensagem de anúncio do acidente. Na rede, do dia 25 ao dia 31 foram quatro *posts* com as principais informações do dia. Todas as mensagens foram respondidas prontamente. Já no Twitter, eles usaram a rede como boletins de crise, transmitindo as informações à medida que os fatos fossem acontecendo. No LinkedIn, na primeira semana da crise, foram colocados vídeos de posicionamentos da empresa. As respostas aos comentários não se deram na mesma agilidade que nas demais redes.

   No YouTube, foram criados os canais Vale Comunica (posicionamentos da empresa) e o Vale Informa (o que a empresa está fazendo no local). É importante apontar a criação da #ValeInforma para o direcionamento de assuntos relacionados à crise de Brumadinho.

### *Case Jendayi Cosméticos*

A Jendayi Cosméticos publicou um "ensaio-protesto" nas redes sociais sobre a tragédia de Brumadinho (MG) no dia 28 de janeiro de 2019. Com a inscrição "A dor também é nossa! Juntos vamos até o fim", as fotos, que trazem um homem, uma mulher e uma criança cobertos de lama, foram feitas em Atibaia, no interior de São Paulo, e receberam críticas dos internautas:

Crédito das fotos: Jorge Beirigo/Jendayi Cosméticos

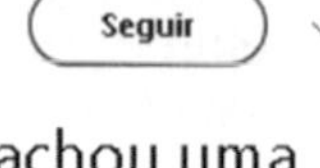


e essa marca de cosméticos que achou uma boa ideia fazer um ensaio (com sensualização e cílios postiços) com temática do crime ambiental em Brumadinho??????

08:42 - 28 de jan de 2019

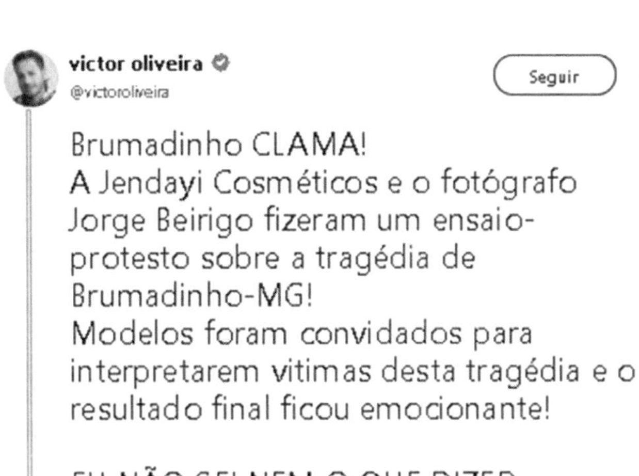

08:39 - 28 de jan de 2019

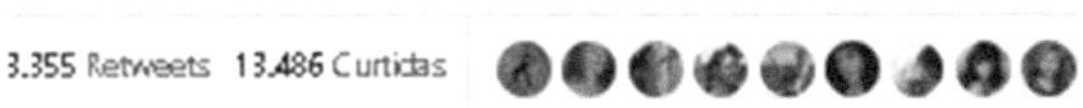


1,4 mil 3,4 mil 13 mil

**A marca se posicionou quase doze horas depois:**

A Jendayi Cosméticos vem por meio desta pedir desculpas pela má repercussão da campanha veiculada por nós. Em nenhum momento tivemos a intenção de ofender as vítimas do crime ambiental em Brumadinho. As fotos tinha uma intenção de protestar e jamais de se aproveitar da situação. Reiteramos nossos pedidos de desculpas as vítimas e a sociedade em geral por nossa campanha mal elaborada. Nossas mais sinceras condolências as vítimas e ajudaremos no que for possível.

Equipe Jendayi Cosméticos.

417 2,3 mil 214

Fonte: https://www.correio24horas.com.br/noticia/nid/marca-faz-ensaio-protesto--por-brumadinho-com-atores-enlameados-e-gera-revolta/
https://claudia.abril.com.br/noticias/jendayi-empresa-ensaio-fotos-brumadinho/.
Acesso: 16 de set. 2019

## Carrefour

Em novembro de 2018, um vigilante de uma das lojas da rede Carrefour em Osasco, na grande São Paulo, deu pauladas em um cão – o Manchinha – até a morte. A justificativa foi que recebeu ordens do supervisor para que retirasse o animal das dependências do supermercado a qualquer custo.

Tal atitude rendeu repercussão nacional e gerou uma crise de imagem para a rede varejista, que teve de lidar com protestos e a indignação da população.

Em um primeiro momento, o Carrefour quase perdeu no quesito transparência ao culpar o centro de zoonose e não se responsabilizar, ainda que de forma parcial, pelo ocorrido. Logo após o segundo comunicado enviado à imprensa, a rede se retratou e passou a contribuir para a apuração do caso.

Em qualquer crise que envolva o nome da sua empresa, a transparência é fundamental. Reconheça os erros e, mesmo se não tiver relação direta com a crise, esteja disposto a ajudar nas investigações.

Por causa dos maus-tratos ao animal, o Ministério Público obrigou a rede a assinar um termo de compromisso e a depositar 1 milhão de reais em um fundo.[14] Desse montante, 500 mil reais foram destinados exclusivamente à esterilização de cães e gatos, 350 mil reais para a compra de medicamentos para animais do Hospital Veterinário de Osasco ou que estejam no canil do município, e 150 mil reais para a aquisição e entrega de rações para associações, ONGs e demais entidades destinadas aos cuidados de animais na cidade de Osasco.

Além dessas ações, o Carrefour implantou um plano extra de auxílio a ONGs e instituições carentes que apoiam a causa animal. Entre elas, está o Instituto Luisa Mell, que aceitou o patrocínio porque a rede garantiu ser contra a atitude do vigilante terceirizado.

---

14 CASO MANCHINHA: CARREFOUR TERÁ DE DEPOSITAR R$ 1 MILHÃO EM FUNDO PARA CUIDADOS A ANIMAIS. *G1*. 15 mar. 2019. Disponível em: <https://g1.globo.com/sp/sao-paulo/noticia/2019/03/15/caso-manchinha-carrefour-tera-de-depositar-r-1-milhao-em-fundo-para-cuidados-a-animais.ghtml>. Acesso em: 16 de set. de 2019.

Muitas organizações usam essa estratégia como marketing, a fim de tornar positiva a sua imagem perante o público, não se responsabilizando mais por qualquer ato. Aqui a rede de supermercados ganhou pontos positivos, pois mesmo divulgando as ações em suas redes sociais, deixou claro que qualquer tipo de ajuda e apoio à causa animal, jamais desvinculará de sua imagem a morte do cãozinho.

Fica claro que a crise poderia ter sido evitada se o Carrefour tivesse um plano de gestão de riscos que incluísse animais, pois é comum a presença deles nos arredores por causa da comida. Por isso, fica a dica: mapear os riscos e realizar um plano de gestão de crise é fundamental para prevenir-se. Jamais espere o pós-crise para enxergar essa necessidade. Vale a pena agir antes de a crise estourar.

## Netflix

A Netflix, serviço de streaming, é considerada um *case* de sucesso no meio do marketing digital. A plataforma sabe engajar o público e é considerada referência quando o assunto é criatividade nas respostas. Outras características marcantes da empresa são o *timing* e o seu posicionamento. Ela não tem medo de expor a sua opinião quando vê a necessidade, e de ter um posicionamento bem definido sobre suas causas. O motivo? Ela realmente conhece o seu público.[15]

Alguns exemplos:[16]

- Resposta 1

  **Caroline Ariane**: Netflix, obrigada por fazer parte da minha vida <3, não sei o q faria sem vc.

  **Netflix**: Provavelmente teria vida social

15 Como gerar engajamento: 4 vezes em que a Netflix mostrou que entende de redes sociais. *Big House Web*. Disponível em: <https://blog.bighouseweb.com.br/como-gerar-engajamento/>. Acesso em: 16 de set. 2019.

16 D'AVILA, Rafael. As 13 melhores respostas que a Netflix já deu até hoje em suas redes sociais. *Criatives*. Disponível em: <http://www.criatives.com.br/2018/09/as-13-melhores-respostas-que-a-netflix-ja-deu-ate-hoje-em-suas-redes-sociais/>. Acesso em: 16 de set. 2019.

- Resposta 2

  **Giuliana Giu**: "Por que eu devo ser oficialmente mulher ou homem?" Por que você nasce mulher ou homem... aff...decepcionante, respeito a opção de cada um, mas que é uma triste sociedade, isso é. E antes de mais nada, OPINIÃO NÃO SE DISCUTE. ☺

  **Netflix**: Opinião é você preferir estrogonofe de frango ou de carne. Não deixar que alguém busque sua própria identidade não é opinião, é opressão.

- Resposta 3

  **Oseias**: Na minha época de escola, não tinha essa tal de bullying. Eu era chamado de gordo todos os dias, resolvíamos tudo na porrada, e depois tudo ficava bem. Ainda sou gordo e não fiquei com complexo de inferioridade ou de mimimi. Pense numa geração fresca.

  **Netflix**: Fico muito feliz que você tenha saído bem dessa, Oseias, de verdade. Mas não precisa diminuir a dor do outro. Cada um lida com as coisas de uma forma. A série fala não só sobre apelidos, fala sobre estupro, invasão de privacidade, assédio. Vamos ter mais empatia e entender melhor o outro.

Para dar este tipo de resposta, é importante estar na essência da marca. Não dá, de uma hora para outra, para começar a falar abertamente desta maneira, se não faz parte da missão e comportamento da empresa. Vai parecer irônico e iniciar uma crise de forma desnecessária. A Netflix tem muito a ensinar. Se a marca se posiciona como inovadora, por que não inovar o jeito como se fala?

---

## *Case* Neymar

O jogador Neymar da Silva Santos Júnior, mais conhecido como Neymar Jr. ou Neymar, pode ser considerado um dos personagens mais icônicos da falta de mapeamento e gerenciamento de risco, sem contar com um plano eficaz de gestão de crise nas redes sociais.

Sua despreocupação com a imagem é exemplo de estudo em diversos cursos de comunicação e marca. O atleta foi motivo, inclusive, de um texto exclusivo, feito por Ricardo Fort, vice-presidente global de patrocínios e eventos da Coca-Cola, dando um alerta que sua postura deveria ser mudada imediatamente.[17]

Veja a seguir:

***"Conselhos para o Neymar***

Neymar, senta aí. Precisamos ter uma conversa séria a sós.

Neymar Pai, você pode nos deixar a sós por meia hora? Só meia hora por favor!

Vocês também, parças. Todos vocês 17 precisam sair daqui.

Bruna, isso inclui você também. Aproveita e leva o filho dele com você e segure ele lá fora.

Neymar Pai... Eu estou te vendo atrás da cortina. Preciso de um tempo com seu filho. Só meia hora. É para o bem dele.

Neymar, larga o telefone e para de tirar selfies agora. Não dá pra conversar assim.

Neymar Pai... se você não sair de trás do sofá agora eu não posso ajudá-lo. Aproveite e leve a sua filha com você. E avise o Kobe Bryant e os outros atletas que a Nike paga para promovê-lo nas mídias sociais para pararem de ligar um pouco.

(Porta fecha.)

Neymar: foco! Dá o telefone aqui. Seus cem milhões de seguidores no Instagram não vão te abandonar se você não postar nada na próxima meia hora.

(Porta abre.)

Não, Neymar Pai, ainda não acabamos. Não passaram nem dois minutos!

(Porta fecha.)

---

17 FORT, Ricardo. Conselhos para o Neymar. *Meio&Mensagem*. Disponível em: <https://www.meioemensagem.com.br/home/opiniao/2018/07/30/conselhos-para-o-neymar.html>. Acesso em: 16 de set. de 2019.

Neymar, o negócio é o seguinte: Eu não entendo nada de futebol e não estou capacitado a te dar nenhum conselho do que fazer nos campos. Isso você sabe muito bem. Você é um fenômeno. Um gênio. Sou um grande fã e torço pelo seu sucesso no Paris Saint-Germain e, principalmente, na seleção brasileira.

Mas toda essa gente aí fora não está sendo sincera com você. Você tem um problema sério e, se não se cuidar, vai acabar ficando sem nenhum patrocinador.

(Barulho na janela.)

Neymar Pai, eu estou te vendo aí fora pela janela... Isso é realmente necessário?

Se você não se importa com nada disso é melhor me avisar agora. Pelo menos eu não perco mais meu tempo com você.

Falei isso pro Ronaldinho Gaúcho e para o Adriano Imperador, mas eles duvidaram de mim. Agora estão aí, um jogando futsal na Índia e o outro... deixa pra lá. É isso que você quer pro seu futuro?

Sei que o Paris Saint-Germain te paga uma fortuna. Muito merecido pelo que você é capaz de fazer dentro dos campos. Mas uma hora isso acaba e sua imagem é tudo que restará.

Hoje, qualquer patrocinador escolherá o Hazard, o de Gea ou o Mo Salah antes de pensar em você. Isso sem falar no Cristiano, no Buffon e no menino Mbappé.

Se as coisas não mudarem, sua marca pessoal vai para o beleléu.

Depois dessa Copa, quem pensa em Neymar pensa em fingimento, jeitinho, farsa. Estes são atributos que nenhuma marca quer associada a si.

Veja a situação do Kaká: muitos consideram você mais talentoso do que ele nos campos, apesar de ele ter ganho a Copa do Mundo e a Bola de Ouro. Independentemente da opinião alheia, você tem muito o que aprender sobre administração de carreira e imagem com ele. Ele sempre foi um produto sensacional de marketing. Representa as melhores marcas do mundo e continua relevante anos depois de parar de jogar profissionalmente.

(Porta abre.)

Não, Neymar Pai, não queremos beber nada.

(Porta fecha.)

Antes que eu acabe, precisamos falar do seu pai. Chegou a hora de demiti-lo. Não como pai, mas como agente. Chegou a hora de você contratar um profissional para cuidar da sua carreira. Você é muito valioso para ser tratado assim.

Veja o Beckham, o Zlatan, o Pogba... Você vê alguém da família dizendo o que eles podem ou não podem fazer? Exigindo dormir no hotel onde eles se concentram com suas seleções? Muito pelo contrário. Eles são assessorados pelos melhores. Gente que defende seus interesses, mas também os ajuda a serem melhores dentro e fora dos campos.

Sem falar que "Neypai" é a denominação mais ridícula do futebol mundial.

Chegou a hora de você deixar de ser o "Júnior" e passar a ser o único Neymar no mundo que realmente importa.

Pelo bem da sua marca e do seu futuro comercial, demita seu pai.

(Porta abre.)

Pode entrar, Neymar Pai. Acho que chegou a hora de vocês dois terem uma conversa. Eu seguro o pessoal lá fora".

### *Copa do Mundo do Brasil*

O Brasil fracassou na Copa de 2014, e apesar de contarmos com o apelo nacional, a seleção brasileira perdeu por 7x1 para a Alemanha. O desfalque do Neymar, que sofreu uma lesão, foi apontado como o principal motivo do fracasso.

Neymar também foi alvo de outras polêmicas. Uma delas envolve a Rede Globo.

Segundo o jornal Folha de S. Paulo,[18] o jogador tinha um contrato de exclusividade com a Globo durante a Copa.

De acordo com a publicação, o camisa 10 teria um acordo com a emissora até 2015. Ele previa "uma série de regalias à Globo, como ter acesso a informações antes dos concorrentes, obter entrevistas

---

18 NEYMAR TINHA CONTRATO COM A GLOBO DURANTE A COPA DE 2014, DIZ JORNAL. *Goal*. 19 fev. 2018. Disponível em: <https://www.goal.com/br/not%C3%ADcias/neymar-tinha-contrato-com-a-globo-durante-a-copa-de-2014-diz/566ke0z6gww410mybgwrvdf5d>. Acesso em: 16 de set. de 2019.

exclusivas e outros privilégios". O periódico obteve uma série de documentos com mais de 6.300 páginas.

Segundo a TV Globo, o contrato referia-se a participações especiais de Neymar em programas e em campanhas da emissora, bem como ao uso de conteúdos audiovisuais produzidos pelo jogador. Neymar participou de diversos programas da TV e chegou a aparecer em telenovelas.

Após o fim do vínculo, a relação entre Neymar e Globo começou a estremecer. Em um dos casos mais famosos, o craque respondeu as duras críticas de Galvão Bueno durante os Jogos Olímpicos do Rio, em 2016, ao falar "vocês vão me engolir" às câmeras do canal.

### *Copa do Mundo da Rússia*

Uma matéria[19] da Folha de S. Paulo fala sobre as regalias que Neymar e sua família tiveram durante a Copa do Mundo da Rússia.

De acordo com o periódico, a família de Neymar foi a única que ficou hospedada no hotel da seleção em Sochi. Os demais parentes dos convocados por Tite para o Mundial seguiram a logística indicada pela CBF, com hotéis em frente ao píer da cidade turística e voos pré-definidos para os locais dos jogos.

Outro trecho da reportagem diz: "A preocupação com a imagem extracampo do jogador foi o motivo pelo qual Neymar pai optou por colocar seus convidados no hotel da seleção em Sochi, o Swissôtel. O lugar tinha aparelhos de raio-x nas entradas e foi a casa do Brasil na Rússia. Durante o Mundial, a família Neymar só ficou lá e fez bate e volta nos dias de jogos".

As "regalias" não pararam por aí, de acordo com a reportagem: "Entre eles estavam dez amigos mais próximos de Neymar, chamados de 'parças'. Na Rússia, eles se enturmaram com os amigos de infância de Gabriel Jesus e assistiram aos jogos junto com os parentes da delegação".

Neymar também contou com os serviços do cabeleireiro Nariko, que cortou os cabelos de praticamente todo o elenco da seleção

19 MATTOSO, Camila, et alii. Família de Neymar usou hotel da seleção e até jatinhos para se isolar. *Folha de S. Paulo*. Disponível em: <https://www1.folha.uol.com.br/esporte/2018/07/familia-de-neymar-teve-jatinhos-e-privilegio-em-hotel-da-selecao-na-russia.shtml>. Acesso em: 16 de set. 2019..

durante a Copa do Mundo e de outras equipes, como do Uruguai, que o recebeu na primeira fase.

Em outras reportagens, inclusive internacionais, Neymar virou motivo de vários memes e piadas sobre suas quedas durante o campo e reclamações sobre contusões.[20]

As quedas tiveram reclamação de peso: o presidente da Fifa engrossou o coro e criticou as quedas de Neymar[21].

E foi destaque nos jornais: Neymar passou quase 14 minutos no chão nesta Copa do Mundo.[22]

O marketing aproveitou o momento com as marcas criando peças sobre as quedas: Após marcas zoarem Neymar, mundo se diverte com #NeymarChallenge.[23]

A Copa acabou com Neymar menor e motivo de piada, após naufrágio individual.

E perdeu patrocínios:

Atualmente, Neymar tem 13 patrocinadores. Ao longo da carreira, foram mais de 25 empresas parceiras. Durante a Copa, o atacante foi garoto-propaganda do McDonald's. Após a eliminação, um comercial com o jogador deixou de ser exibido na televisão.[24]

Nessa mesma matéria, falam novamente sobre a participação do pai nas decisões do filho:

---

20 MEMES NÃO PERDOAM NEYMAR DEPOIS DA QUEDA DO BRASIL. *UOL Esporte*. Disponível em: <https://esporte.uol.com.br/futebol/copa-do-mundo/2018/album/2018/07/06/memes-nao-perdoam-neymar-depois-da-queda-do-brasil.htm?mode=list&foto=3>. Acesso em: 16 de set. 2019.

21 AVELAR, André. Presidente da Fifa engrossa coro e também critica quedas de Neymar. *R7 na Copa*. 13 jul. 2018. Disponível em: <https://esportes.r7.com/copa-2018/presidente-da-fifa-engrossa-coro-e-tambem-critica-quedas-de-neymar-13072018>. Acesso em: 16 de set. 2019.

22 NEYMAR PASSOU QUASE 14 MINUTOS NO CHÃO NESTA COPA DO MUNDO. *O Globo*. 04 jul. 2018. Disponível em: <https://oglobo.globo.com/esportes/neymar-passou-quase-14-minutos-no-chao-nesta-copa-do-mundo-22852186>. Acesso em: 16 de set. 2019.

23 GRUNEWALD, Gabriel. Após marcas zoarem Neymar, mundo se diverte com #NeymarChallenge. *Exame*. 12 jul. 2018. Disponível em: <https://exame.abril.com.br/marketing/apos-marcas-zoarem-neymar-mundo-se-diverte-com-neymarchallange/>. Acesso em: 16 de set. 2019.

24 MATTOSO, Camila, et alii. Copa acabou com Neymar menor e motivo de piada, após naufrágio individual. 14 jul. 2018. *Folha de S. Paulo*. Disponível em: <https://www1.folha.uol.com.br/esporte/2018/07/copa-acaba-com-neymar-menor-e-motivo-de-piada-apos-naufragio-individual.shtml>. Acesso em: 16 de set. 2019.

Neymar pai é quem decide o cronograma publicitário do filho e toma conta de suas finanças, sendo sócio principal – ao lado da mãe do jogador, Nadine, de quem está divorciado desde 2015 – das duas empresas que administram a carreira do atleta.

***Caso de estupro***

Em junho de 2019, Neymar foi acusado de estupro pela modelo Najila Trindade Mendes de Souza. Ele pagou a passagem e o hotel para ela ir até Paris se encontrar com ele. Trocaram mensagens quentes pelo WhatsApp, inclusive fotos. Quando o assunto veio à tona, novamente uma falha. Ele postou um vídeo no Instagram com parte do diálogo e pasmem: com fotos íntimas da modelo. Ou seja, além de estar sendo investigado pelo crime de estupro, também prestou esclarecimentos sobre a divulgação de conversas e imagens íntimas na Delegacia de Repressão a Crimes de Informática (DRCI) do Rio de Janeiro.[25]

Há outras notícias envolvendo Neymar e suas farras, mas quais lições que devemos tirar do jogador? Celebridade e figura pública têm maior poder de ser alvo de crise em todas as mídias. Neymar é jogador de futebol, cujo esporte possui uma grande importância na cultura e no dia a dia dos brasileiros. Perder de 7x1 para a Alemanha é um marco que não será esquecido por muito tempo e sim, magoou os brasileiros, além de uma exposição no cenário internacional. Devemos considerar que crianças se inspiram no Neymar pela sua história e feitos no esporte.

Pela sua história no futebol, Neymar vende patrocínio, em outras palavras, camisa, tênis, comida e bebida. Com os seus escândalos, qual marca vai querer se associar?

---

25 TVS MOSTRAM DIÁLOGO DE NAJILA COM NEYMAR EM PARIS: "VOCÊ SABE O QUE FEZ". *UOL*. 06 jun. 2019. Disponível em: <https://esporte.uol.com.br/futebol/ultimas-noticias/2019/06/06/voce-pedia-mais-em-dialogo-neymar-comenta-marcas-e-najila-reclama.htm>. Acesso em: 16 set. 2019.
LEITÃO, Leslie. Neymar é intimado a depor à Polícia Civil do RJ por suspeita de crime vistual. *G1*. 03 jun. 2019. Disponível em: <https://g1.globo.com/rj/rio-de-janeiro/noticia/2019/06/03/neymar-e-intimado-a-depor-a-policia-civil-do-rj-por-suspeita-de-crime-virtual.ghtml>.Acesso em: 16 de set. 2019.

Outro ponto importante a aprender com o Neymar é que, com as redes sociais, não há mais o limite do que é pessoa física e pessoa jurídica. Todos são uma coisa só.

A partir do momento que você nasce, ganha um nome e, consequentemente, uma identidade. Ter uma identidade é cuidar de uma marca, que gera imagem e reputação.

Na vida adulta, a dica é: planeje sua identidade, identifique os riscos de sua marca, monitore-os e, caso algo aconteça, tenha um plano rápido de como gerir uma crise.

## Reserva

A grife carioca Reserva gerou mais uma polêmica envolvendo racismo em fevereiro de 2017 ao pendurar dois manequins negros pelos pés na vitrine de uma das lojas da marca, no Rio de Janeiro. A grife argumentou que sua "identidade visual é preta e vermelha, sendo seus manequins na cor preta, há mais de nove anos." Também justificou que nos períodos de liquidação "a marca transforma o visual da loja, colocando tudo de cabeça para baixo, incluindo o letreiro da fachada".

Repercussão:

- **Douglas Soares**: Reserva. Sempre um mau gosto pra montar vitrines e mandar mensagens
- **Rane Souza**: É 2016, mas continua puxado, puxadíssimo, aliás.
- **Yasmin Thayná**: Olha o conceito da Reserva que lindo essa marca antirracista que apoia os direitos humanos.
- **Douglas Soares**: Práticas de tortura e racismo em pleno shopping
- **Douglas Soares**: E não sou só eu q to falando. Eu nem tinha reparado na vitrine até que uma senhorinha negra passou do meu lado e falou pra si mesmo: que horror! Só fiz olhar pro lado.
- **Maria Byington**: #RacismoÉCrime e essa vitrine é de um mau gosto impensável!!!!

- **FB**: O que é essa acusação contra a reserva de racismo? O manequim deles é, e sempre foi, preto. Nunca, representante de negros. É PRETO.
- **Baiano Praticante**: nesse carnaval vou fantasiado de manequim da Reserva pq vou tá virado de cabeça pra baixo
- **Henrique Souza**: Sobre a vitrine da Reserva com manequins pendurados de ponta cabeça: sejam menos chatos.

## *Posicionamento da Reserva diante do caso:*

1. Toda identidade visual da Reserva é preta e vermelha, sendo seus manequins na cor preta há mais de nove anos;
2. Como de costume, nos períodos de liquidação a marca transforma o visual da loja, colocando tudo de cabeça para baixo, incluindo o letreiro da fachada, manequins e peças expostas, não havendo qualquer intenção ou traço de racismo na estratégia de marketing;
3. Nossa política de compromisso com a igualdade de gêneros e raça é uma das bandeiras que carregamos com mais afinco. O que se pode conferir em ações sociais e de inclusão, como o Rebeldes com Causa, selo AR para o Afroreggae, marca 40076 – sem fins lucrativos – voltada para geração de renda para projetos sociais, filosofia de trabalho com licença-paternidade de um mês, concedida a todos os novos pais da empresa, sejam biológicos ou adotivos, heterossexuais ou homossexuais, mesma quantidade de funcionários homens e mulheres e com paridade salarial, contratação de pessoas com mais de 60 anos, entre outras ações.[26]

---

26 RESERVA É ACUSADA DE RACISMO AO COLOCAR MANEQUINS DE PONTA-CABEÇA EM LOJA. *Veja SP*. 26 fev. 2017. Disponível em: <https://vejasp.abril.com.br/blog/pop/reserva-e-acusada-de-racismo-ao-colocar-manequins-de-ponta-cabeca-em-loja/>. Acesso em: 16 de set. 2019.

### *O que aprender*

Estamos na era dos direitos humanos. Então em cada ação produzida, requer a necessidade de analisar o quanto afetará o outro, ou um grupo. É o que falo de acompanhar o mercado, tendências, pensamentos e comportamentos do público e temas de discussão. Isso vale para negros, mulheres, ativistas, defensores etc. Hoje as marcas falam com todos e não somente com o público-alvo.

Outro ponto importante é, e que poucas empresas fazem, mapear os riscos em torno de uma ação de comunicação. Muitas vezes se pensa somente no resultado de vendas e esquecem de mapear possíveis crises.

## Z-Burger

A famosa rede americana de hambúrgueres, a Z-Burger, de Washington DC, recebeu inúmeras críticas depois de veicular um anúncio no Twitter com a imagem do jornalista James Foley, morto no Oriente Médio em 2014. As informações são dos sites Concord Monitor, Seacoastonline, Fox News e The Washington Post.

O *tweet*, que foi publicado em julho de 2018 e excluído assim que começou a repercussão, trazia uma foto de James Foley momentos antes de sua morte, segundo a imprensa americana, e a imagem de um hambúrguer com a frase: "Quando você diz que quer um hambúrguer e alguém diz que sim, vamos ao McDonald's, você me desgraça".

James Foley foi sequestrado em 2012 e decapitado pelo Estado Islâmico em 2014.

Diane Foley, mãe do jornalista, escreveu uma mensagem na página da James W. Foley Foundation no Twitter, na terça-feira (24 de julho), lamentando o episódio. "Estou muito triste com o fato de a @Zburger ser tão insensível e ignorante quanto à dor dos outros enquanto comercializa seu hambúrguer".

---

COM MANEQUINS NEGROS PENDURADOS PELOS PÉS EM VITRINE, MARCA É ACUSADA DE RACISMO. *Extra*. 01 fev. 2016. Disponível em: <https://extra.globo.com/noticias/rio/com-manequins-negros-pendurados-pelos-pes-em-vitrine-marca-acusada-de-racismo-18585305.html>. Acesso em: 16 de set. 2019.

Peter Tabibian, dono da rede Z-Burger, pediu desculpas pelo incidente, explicou que contratou a empresa Valor Media de Raleigh para administrar a sua conta no Twitter e que não aprovou a postagem. Ele também acrescentou que exigiu que o anúncio fosse retirado imediatamente assim que soube do caso:

> "Eu realmente sinto muito sobre o que aconteceu. Assumo total responsabilidade pelo que aconteceu. É minha companhia", disse e continuou:
>
> "Eu confiei em alguém para fazer coisas em nosso nome. Eu cometi um grande erro ao fazer isso. Lamento muito pela família Foley e por seus amigos."
>
> A Valor Media não retornou as ligações e e-mails da imprensa solicitando uma resposta, mas emitiu um pedido de desculpas no Twitter. Michael Valor, que dirige a empresa, assumiu a responsabilidade pelo erro.
>
> "A Z-Burger não teve nada, nada, absolutamente nada a ver com isso. Eu quero me desculpar por colocar a reputação da Z-Burger na linha."

Valor disse, também, que o diretor de arte que usou a imagem no anúncio "não sabia que a imagem era de Foley".

Tabibian postou no Twitter que ele estava terminando seu relacionamento com o Valor imediatamente e que quando viu o post sobre Foley, "quase caiu da cadeira e chorou". O empresário também disse que tentou explicar e pedir desculpas a muitas pessoas, incluindo aqueles que conheciam Foley.

No Twitter, tanto a Z-Burger quanto Valor prometeram fazer doações para a James Foley Foundation.[27]

---

27 HEDGPETH, Dana. Z-Burger apologizes for "callous" Twitter ad depicting American *journalist* executed in the Middle East. *The Washington Post*. 25 jul. 2018. Disponível em: <https://www.washingtonpost.com/news/local/wp/2018/07/25/z-burger-hamburger-chain-apologizes-over-callous-misuse-of-images-in-twitter-ad/?noredirect=on&utm_term=.5dc41ee5f62a>. Acesso em: REDE AMERICANA USA IMAGEM DE JORNALISTA EXECUTADO NO ORIENTE MÉDIO PARA PROMOVER HAMBÚRGUER. *Portal Imprensa*. 26 jul. 2018. Disponível em: <http://portalimprensa.com.br/noticias/ultimas_noticias/80792/rede+americana+usa+imagem+de+jornalista+executado+no+oriente+medio+para+promover+hamburguer>. Acesso em: 16 de set. 2019.

O que aprender com o caso da Z-Burger: colocar a culpa no outro pode ser mais simples e fácil. A partir do momento que sua marca está envolvida em uma crise, independente que esteja certa ou não, o problema é seu. O fornecedor faz parte da empresa, e aprovação e acompanhamento de publicação é um dos processos que a agência entrega para a organização. Se não acompanhou, falha do gestor. E falha também da agência que publicou algo sem ter passado pela aprovação da empresa.

Mesmo em comunicação e gestão das redes sociais, mapear processos e segui-los também fazem parte das estratégias empresariais.

São tantos *cases* a aprender, que fica muito difícil a escolha. Se você tem interesse pelo tema, acompanhe uma crise desde o momento que ela eclode, os passos seguintes, as formas de comunicação com os diferentes públicos, o modo e o formato que a comunicação foi feita, o tom de voz, a linguagem utilizada e os canais adequados. É interessante analisar à medida que os fatos forem acontecendo. Este é um aprendizado incrível para entender o que fazer e o que não se deve fazer.

Convido para este exercício não somente no cenário brasileiro, mas no internacional também. Uma outra dica é acompanhar órgãos internacionais que apresentam serviço à população e mídia, por exemplo, o National Hurricane Center.

## 12 dicas sobre o que aprender com essas crises

1. Revise o processo dos meios tradicionais de comunicação com o cliente, desde uma notificação com o vendedor até o SAC;
   a. O cliente somente busca as redes sociais ou qualquer outra mídia, após diversas tentativas no SAC ou na própria loja;
2. Não subestime a voz do público;
   a. As empresas não tomaram providências na primeira queixa;
   b. O consumidor que tem um histórico grande de tentativas sem solução ganha a solidariedade das mídias sociais;

3. Entender a dinâmica das redes sociais;
    a. Saiba o que está se falando da sua marca em tempo real para agir rápido;

4. Não tomar atitude nas primeiras três horas do problema permite que a crise ganhe proporções maiores;
    a. Minha sugestão é dar uma resposta na primeira hora;
    b. Aja rapidamente. Demorar em dar uma resposta permite que o caso alcance o maior número de pessoas;
    c. Quando uma empresa não se posiciona rapidamente, surgem outras fontes para falar do assunto;
    d. Na ausência de uma resposta rápida para interceptar a crise, também surgem outras histórias similares de outras pessoas. Todos colocam seus problemas na mesa para discutir aquela marca;
    e. Agir com prontidão indica que a empresa está disposta a resolver o problema;

5. Dar respostas em forma de comunicado deixa a mensagem dura e sem sensibilização com o caso. Internet é aproximação;
    a. Exponha a mensagem corretamente;
    b. Explique o que aconteceu e como a empresa está disposta a revolver;

6. Utilize recursos de vídeo. Olho no olho, tom de voz e postura podem significar muito ao público. É importante saber o que vai falar e nada de ler. Escolha um porta-voz e seja natural. Ações assim aproximam;

7. Considere no radar o monitoramento e repercussão de influenciadores. Não pense somente no influenciador que está diretamente ligado à sua marca, mas também aqueles que têm alto impacto de disseminação. Pesquise por rede, pois cada uma delas tem seus influenciadores;

8. Em uma crise, não dizer nada ao público também gera crise, pois transmite a mensagem de que aquele fato não é importante para o negócio;
   a. Para o público, a leitura é de desinteresse;

9. Quando a crise é off-line e terá repercussão on-line, considere o gerenciamento off-line e on-line, com alinhamento das mensagens, porém lembrando-se de que os meios são diferentes;

10. Ser transparente e falar a verdade sobre o problema permite que o consumidor entenda a situação até o momento da solução;

11. Se envolver com o problema. Independente que sua marca esteja certa ou errada, esteja disposto a resolver, pois é a sua reputação que está em jogo;

12. Entender quando é necessário tirar um produto do mercado e o que responder ao consumidor.

# Capítulo 7

# GESTÃO DE CRISE NAS REDES SOCIAIS – SUA EMPRESA PODE SER A PRÓXIMA A PASSAR POR UMA CRISE

Quem quer se envolver em uma crise? Para alguns profissionais, a crise é um momento emocionante, no qual todo departamento fica agitado, e todos se unem para resolver uma situação. Posso te assegurar com certeza que a crise é um momento tenso, no qual há consequências dolorosas e deixa a marca sensível e vulnerável. Quando colaborador, é difícil ouvir os outros falando mal da sua marca.

A crise mexe com uma questão intangível, que poucos veem: o lado emocional. Entra-se em um embate de quanto estava certo ou errado, que é injusto, que os outros não observam o quanto a empresa faz, em quantos projetos sociais se investem etc. Perceba que estamos falando de sentimento, muitas crises são tratadas como emocionais, sem o cunho da razão e da oportunidade de responder claramente o que houve.

Considere ainda uma empresa que não tem a cultura de gestão de crise. Há uma briga de egos e quem manda é a alta direção, sem envolver departamentos estratégicos. Há gestores que pedem para apagar o *post*, para ligar para o jornalista e pedir para tirar a matéria ou pedir para o influenciador deletar o *post*. Tudo isso por falta de preparo.

O ideal é não esperar a crise acontecer para ver o que vai fazer. O principal trabalho da gestão de crise é evitar ao máximo que ela aconteça e quando acontecer saber exatamente o que fazer, com calma e serenidade, tomando as medidas certas e dando respostas adequadas aos diferentes públicos da empresa. Como fazer isso? Preparação, preparação e preparação.

Tenho visto as empresas contarem vantagens que possuem uma equipe de gerenciamento de crise, que monitora a marca constantemente. Este trabalho é fundamental, mas quando a crise acontece, esta equipe sabe o que fazer? O que dizer? Quais as primeiras medidas a serem tomadas? A empresa está treinada e capacitada para resolver rapidamente um indício de crise? O que vale não é o gerenciamento, e sim uma eficiente gestão de crise. Estas são perguntas que você deve prestar atenção. Não basta responder rápido. É dar a resposta com precisão, como se fosse um remédio para cessar o que está causando a dor.

Tenho visto também outra categoria de empresas que contratam um serviço de monitoramento e recebe o relatório somente no fim do mês para depois analisar o que foi dito da marca e dos produtos.

Um gerente de uma empresa do setor de motocicletas me contou orgulhosamente que tinha contratado o serviço de monitoramento de redes sociais e após trinta dias recebia um relatório constando o que foi dito da marca ao longo do mês. A partir do relatório, lia-se, analisava-se, para depois tomar medidas apropriadas. Na conversa, eu disse que nada valia o relatório de monitoramento de redes sociais, se ele não respondesse imediatamente uma insatisfação ou uma dúvida do seu consumidor. Nas redes sociais, não se pode deixar eclodir uma crise. Tudo tem de ser aqui e agora, por conta da própria dinâmica que a rede possui.

As crises na internet não escolhem vítimas por este ou aquele motivo. Qualquer empresa está propensa a passar por falhas, problemas e reclamações do consumidor. Até mesmo um pequeno negócio. Lembra do caso do cachorro que faleceu no Spa dos Bichos, um pet shop pequeno e escondido em uma rua do Ipiranga (zona sul de São Paulo)? É um exemplo que independentemente do tamanho do negócio, ele pode virar notícia e ter uma repercussão negativa, que pode afetar os rumos financeiros do negócio. O assunto foi pauta na Folha de São Paulo,[1] que imediatamente ganhou o palco das redes sociais. Nestas horas, saber o que fazer e como se posicionar pode dar outro rumo na história, garantindo a sobrevivência da empresa. No final, o pequeno negócio perdeu presença nas redes sociais.

Não somente as empresas pequenas são despreparadas. A Brastemp, marca conhecida como sinônimo de qualidade, também não previa que estaria associada a um vídeo[2] de um consumidor relatando sua experiência negativa com o produto até o assunto ganhar as redes sociais, gerando vários desdobramentos para a história (2011). Como disse no capítulo 6, tais crises servem para que todos possam aprender com elas. As respostas devem ser rápidas e assertivas. Afinal, o desejo da organização não é ver seu nome exposto com todos apontado o dedo.

A principal lição que tiramos dos *cases* do capítulo 4 é que as empresas devem trabalhar e se monitorar constantemente para que as crises não aconteçam, nem em ambiente externo e nem no on-line. Prevenção não é custo, é um investimento e uma estratégia diferenciada de evitar que a reputação da organização esteja envolvida negativamente. Vou fazer uma associação com a medicina: o que é mais eficiente, fazer a prevenção de uma doença, ou tratá-la em estágio avançado? Então, detecte os sintomas da doença e já pense em como contê-la para não virar algo mais sério. Qualquer médico concordará comigo. Partindo desta premissa, estamos falando do trabalho de gestão de crise.

A gestão de crise é um trabalho de planejamento, ou seja, administração estratégica caso uma crise aconteça. Quando a crise dá o seu sinal, o que devo fazer? Com quem contar? Quais as primeiras medidas a serem tomadas? Devo convocar o comitê de crise? Devo direcionar o problema ao departamento indicado? Ele está pronto para receber a notificação de solução?

---

1 SILVA, Luisa Alcantra de. Giginho, cachorro vira-lata, morre enforcado em pet shop de SP. *Folha de S. Paulo*. 05 ago. 2011. Disponível em: <https://www1.folha.uol.com.br/cotidiano/954980-giginho-cachorro-vira-lata-morre-enforcado-em-pet-shop-de-sp.shtml>. Acesso em: 31 jul. 2019.

2 NÃO É UMA BRASTEMP. *Oboreli45223*. 20 jan 2011. 1 vídeo (4:12 min). Disponível em: <https://www.youtube.com/watch?v=riOvEe0wqUQ>. Acesso em: 31 jul. 2019.

Quando uma crise nasce, na maioria dos casos por meio de um risco não administrado, um conjunto de ações deve ser colocado em prática para que o problema não fique ainda maior. Tais ações devem ser pensadas previamente, testadas, treinadas com as pessoas envolvidas e realizadas em simulação.

De acordo com Mitroff (2001), a gestão de crise contempla as seguintes ações: levantar os sinais que apontam para problemas, realizar um estudo efetivo de prevenção e um plano de contenção.

Goodman (1998) também aponta que a importância de se realizar um plano de gestão de crise é, além de trazer uma resolução efetiva, também fazer com que a empresa mantenha normais suas operações, ainda que envolvida em um escândalo. Afinal, o negócio não pode parar. Nessas horas, a comunicação se torna eficaz para informar e motivar os colaboradores, e manter clientes e demais públicos informados.

Para completar o leque de definições que ajuda a compreender a terminologia, é importante citar Kathleen Fearn-Banks (1996), que define a gestão de crise como um processo de plano estratégico para uma crise ou um ponto negativo da organização. Tal processo tem a função de remover alguns dos riscos e permite que a organização esteja no controle do seu próprio destino.

Nos últimos anos, tenho amadurecido meu olhar sobre gestão de crise, e redes sociais têm sido integradas no plano como um todo. Em alguns ramos de atividades, pensar separado faz sentido, em outros casos, tudo precisa estar conectado.

Todas as empresas deveriam seguir um fluxo conforme a ilustração, mas entendo a complexidade e a necessidade de equipe. Dependendo do negócio, é necessário ao menos uma pessoa dedicada. A meu ver, o plano de gestão de crise integrado está dividido em três etapas, fazendo parte do processo de prevenção e preparação da organização: 1) Gestão de risco; 2) Gestão de segurança; 3) Gestão de crise.

Na etapa 1, como visto no capítulo de gestão de risco, todo processo começa na investigação do que pode afetar o seu público, produto/serviço, sua operação e, consequentemente, afetar o objetivo da empresa. A partir do momento que conhece os riscos em que está inserida, a organização fará uma avaliação deles – um levantamento do risco,

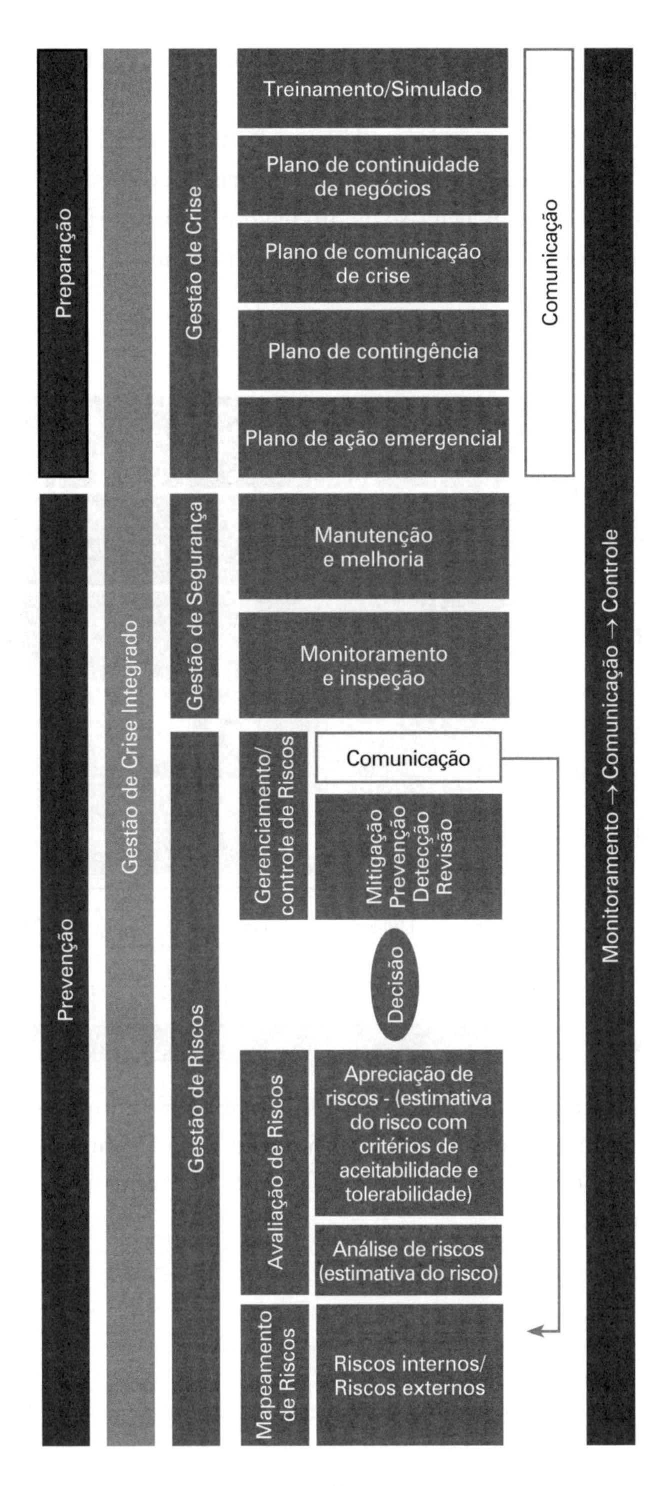
Preparação
Prevenção
Gestão de Crise Integrado
Gestão de Crise
Gestão de Segurança
Gestão de Riscos
Treinamento/Simulado
Plano de continuidade de negócios
Plano de comunicação de crise
Plano de contingência
Plano de ação emergencial
Comunicação
Manutenção e melhoria
Monitoramento e inspeção
Gerenciamento/ controle de Riscos
Comunicação
Mitigação Prevenção Detecção Revisão
Decisão
Avaliação de Riscos
Apreciação de riscos - (estimativa do risco com critérios de aceitabilidade e tolerabilidade)
Análise de riscos (estimativa do risco)
Mapeamento de Riscos
Riscos internos/ Riscos externos
Monitoramento → Comunicação → Controle

áreas envolvidas e impactadas, consequências, danos para a organização – vidas, públicos afetados, reputação, produtividade e financeiros.

A partir disso, o estudo envolve uma análise de probabilidade de o risco vir a acontecer. Existe um mapa de risco, conhecido em inglês como Risk Heat Map. Trata-se de um diagrama que ilustra o potencial impacto dos riscos identificados, medindo a chance de ocorrer.

Exemplos de Risk Heat Map:[3]

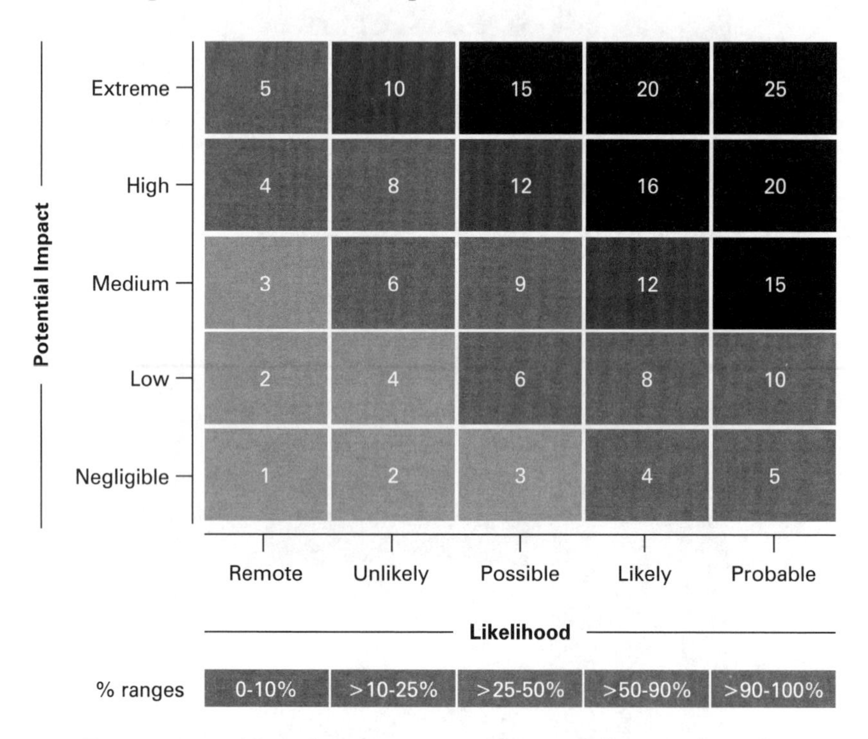


Este outro gráfico demonstra uma forma diferente de se fazer o mapa de maneira bem simples. Não existe uma fórmula exata, mas o que deixa mais visível e de melhor entendimento para todos os envolvidos.[4]

---

3 GCMA. Risk HHeat Map. Disponível em: <https://www.cgma.org/resources/tools/essential-tools/risk-heat-maps.html>. Acesso em: 10 ago. 2019.

4 Long Tail Risk. Disponível em: <http://longtailrisk.com/wp-content/uploads/2013/04/heatmapcolorbg.png>. Acesso em: 10 ago. 2019.

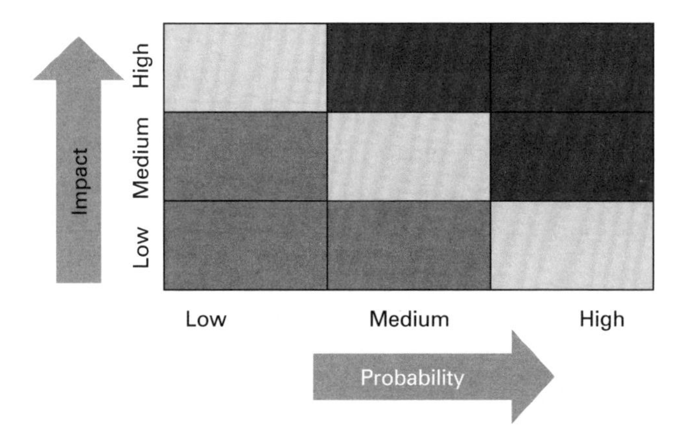


Com o mapa vazio, o grupo vai discutindo a chance e o impacto de cada ponto acontecer. Por exemplo: a queda de um avião possui probabilidade baixa de acontecer, mas quando ocorre, o impacto para todos é alto. Com isso, requer atenção.

Veja a seguir como o mapa fica a partir do momento em que você coloca as sinalizações.

Parece um assunto meramente corporativo, mas trazendo para as redes sociais, também faz sentido. Um exemplo: uma pessoa que foi mal atendida, que possui mil seguidores, precisa de atenção, mas o impacto é baixo e a probabilidade é alta. Quando uma celebridade, que possui 1 milhão de seguidores, fala da sua marca, o impacto é altíssimo e a chance é baixa. Lembrando, os dois casos merecem cuidados e respostas, mas tratativas diferentes.

Seguindo o processo do nosso primeiro mapa de raciocínio, nós temos elaborado: 1) mapeamento dos riscos, 2) análise dos riscos, 3) estimativa do risco. Na próxima fase, precisamos tomar decisões para detectar rapidamente, evitar, prevenir, mitigar, minimizar e diminuir o impacto. A comunicação ou marketing fazem isso? Não. Trata-se de um trabalho multidisciplinar, de preferência feito por um comitê de risco/crise, no qual todos devem se envolver para tomar medidas. Conheci uma empresa de logística que possui uma estratégia bem interessante. O presidente somente é envolvido nas questões do comitê para tomada de decisões quando há apenas três estratégias já discutidas e avaliadas na mesa. Desta vez, tira-se o melindre da palavra do presidente. Todos são envolvidos para participar com decisões e medidas eficientes. Isso é o que chamo de deliberação organizacional, apresentado no capítulo 2. Empresas que estão neste caminho estão no caminho certo.

Bom, e o que será feito para controlar estes riscos? Quais as medidas que se sustentam a curto, médio e longo prazo? Quais áreas serão envolvidas? Quem será responsável dentro da área para acompanhar isso de perto?

A fase da gestão de segurança, no que inclui o monitoramento, requer responder como se vai monitorar e acompanhar de perto para que estes riscos permaneçam controlados, observados e assistidos pela organização. Aqui, entra todos os tipos de monitoramento, que vão além de comunicação. Não pense somente em monitoramento de redes sociais e mídia. Entra monitoramento de mercado, tempo, chuva, canais de atendimento, processos, tecnológicos, ambientais etc. Cada risco possui um tipo de monitoramento e cada negócio também.

Definidos os critérios de monitoramento, áreas e responsáveis, é o momento de definir como será a comunicação a partir dos alertas: os riscos preocupantes, evolução dos riscos, quais níveis serão avisados a partir deles, como serão notificados e mensagens e primeiras medidas.

Os riscos dão sinais gradativos, podem ser evolutivos, ganham força e tendem a se tornar maiores. Saiba que cada momento de alerta precisa de uma ação de comunicação e, consequentemente, uma medida.

Com o monitoramento e inspeção, há a necessidade de avançar uma casa, dentro da gestão de segurança, que é a manutenção e melhoria. Neste caso, pode envolver a engenharia, infraestrutura, operação, produção, tecnologia, gestão das redes sociais, segurança etc. Em outras palavras, o que será feito de contenção, medida para o problema não ganhar força.

Dou este exemplo que é bem simples de visualizar. Acompanhe o raciocínio:

1. Reformei a casa recentemente e mexi em algumas paredes;
2. Apareceu uma rachadura na parede do quarto;
3. Reclamei com o pintor que a parede não ficou com a pintura boa;
4. Ele refez, passou massa corrida e fez nova pintura;
5. Passado um mês, uma pequena rachadura reapareceu em um canto da parede;

6. No mês seguinte, a rachadura que era de 20 centímetros passou para 50 centímetros;
7. Xingo o pintor;
8. No terceiro mês, a rachadura pega a parede inteira;
9. Não dou atenção, além de xingar o pintor;
10. A rachadura abre meio metro.

O que preciso fazer? Chamar a engenharia e a turma da manutenção, ou esperar a casa cair. Percebe que o risco surgiu, foi ignorado, feita uma manutenção inadequada (pintura), foi dando sinais de alertas (crescimento das rachaduras) até chegar a um estado crítico?

## E no ambiente on-line?

O trabalho de gestão de risco para o ambiente on-line deve ser contínuo, pois surgem novos riscos, que devem ser mapeados e analisados. Na primeira edição, trouxe a abordagem do Issue Management, uma nomenclatura americana, que também tem a função de levantar os riscos e tentar evitá-los, ou pelo menos minimizá-los.

Não importa os nomes conceituais, mas sim que os riscos precisam ser levantados e acompanhados. Para o meio on-line, a recomendação é que se tenha um processo contínuo de mapeamento de riscos, pois há fatores internos e externos que podem afetar a sua organização. Os riscos on-line serão observados pela equipe de comunicação e marketing. Somente quando tiver grandes magnitude é que eles vão para outras esferas. Os riscos de grande proporção devem estar registrados no Risk Heat Map. Crie o mesmo raciocínio para o departamento.

No ambiente on-line, as funções da gestão de risco também incluem:

- Analisar o tamanho da organização;
- Analisar a cultura da companhia no ambiente virtual;
- Levantar as vulnerabilidades que podem afetar o negócio no mundo virtual. Ver as ameaças em âmbito global;

- Checar as vulnerabilidades que podem surgir no mundo off-line e repercutir no on-line;
  - No levantamento de riscos, analisar as queixas dadas pelo público;
  - Conversar com departamentos para entender os problemas;
  - Fazer uma análise dos principais problemas do setor;
  - Estudar as vulnerabilidades pode estimular o debate da opinião pública no ambiente virtual;
    - Por exemplo, o uso de pele animal em uma coleção levantará a polêmica do uso inadequado;
- A área de comunicação deve estar ligada nas tendências e assuntos do momento da internet;
  - Todo o departamento de comunicação deve estar envolvido no processo, entender problemáticas e resoluções. O marketing também é fundamental na contribuição de mapeamento de riscos, como também na contribuição de resolver as vulnerabilidades;
- Identificar e registrar todas as possibilidades de domínios negativos em sites, blogs, no Twitter e demais redes sociais que possam se referir à sua empresa;
  - Na internet, existe a onda do "Eu odeio a marca X", "não gosto a marca Y" etc;
- Identificar *stakeholders* que estejam no ambiente virtual;
- Mapear influenciadores e líderes de opinião no mundo virtual;
  - Influenciadores são *stakeholders* de suma importância, pois eles, de fato, têm o poder de levantar e destruir uma marca. Mantenha-os por perto;
- Pesquisar o tom e a linguagem da mensagem para falar com seu público;
  - Lembrando que o estilo de comunicação implantada no off-line é diferente do on-line;

    - Comunicado on-line deve ter um tom diferente;
    - Avaliar como são dadas as respostas no aberto e no fechado.

A partir do conhecimento dos riscos, os próximos passos são:

- Implantar um monitoramento on-line constante da marca;
    - Cada negócio requer um sistema diferenciado de monitoramento. O que é indicado para uma empresa, não é para outra. Depende o ramo de atividade da organização, o quanto fala-se dela, sua presença ativa no mercado e o quanto ela possui de influência no consumidor. Dependendo do caso, é necessário ter um monitoramento 24 horas por dia, 7 dias da semana;
    - Ter um monitoramento que não trabalha com eficácia de acordo com o negócio pode se tornar uma vulnerabilidade do negócio;
    - O monitoramento precisa ser eficaz para todos os tipos de canais, comentários, incluindo sites de notícias, de reclamações, comentários de lojas de app, avaliações do Google, sites de emprego etc;
- Criar um sistema de alerta;
    - Quem comunicar;
    - Sinais de evolução;
- Familiarizar a equipe de comunicação corporativa com o ambiente virtual. Nesse caso, promover treinamentos constantes.

Com o risco detectado e monitorado, ele se tornou um problema, que quando percebido rapidamente e tomadas as devidas decisões, o dano é contido e minimizado, por exemplo, em caso de reclamação de consumidor.

Resumindo:

1. Mapear o risco;
2. Analisar o risco;

3. Colocar a chance de acontecer e seus impactos;
4. Tomar medidas para mitigar e não vir acontecer;
5. Criar critérios de monitoramento;
6. Quando detectado o risco, tentar conter para não virar uma crise;
7. Colocar em prática o plano de gestão de crise.

## Planejamento

Com todo o mapeamento e análises em mãos, inicia-se o trabalho mais minucioso: o plano de gestão de crise. De acordo com a epistemologia da administração, gestão é todo ato de planejar, um estudo que se mapeia o mercado, traz caminhos e viabilidades. Gerenciamento é quando colocamos em prática tudo o que foi desenhado no processo de gestão. Por isso, a importância de diferenciar gestão de crise antes do fato acontecer. Gerenciamento de crise é conter os danos e colocar em prática o que foi planejado na etapa de gestão.

Esta fase de gestão, por tantas etapas a serem cumpridas, pode demorar meses até que fique adequada à realidade da organização. Claro que cada caso é um caso. Há situações que este trabalho é constante, pois requer revisões e novas tomadas de decisão. Por ser um livro para as redes sociais, o foco será nos meios digitais.

### *Comunicação estratégica digital*

O primeiro passo dessa etapa é desenvolver uma comunicação digital com os diferentes *stakeholders*. Uma comunicação eficaz contribui para a possível solução de uma crise, porém a empresa deve investir constantemente nesse aspecto para obter resultados não somente em momentos difíceis, mas para construir sua reputação a longo prazo com seus *stakeholders*. A comunicação estratégica permite a "efetividade organizacional quando ajuda as organizações a construírem relacionamentos, resolvendo os conflitos entre a organização e seus públicos".[5]

---

5 Kunsch, 2006, p. 43.

O plano estratégico de comunicação adotado e colocado em prática diariamente dentro das corporações já é uma das medidas de gestão de crise, pois não pode estar dissociado dela. Uma organização não deve adotar um processo de gestão de crise se não tiver um plano de comunicação amadurecido e já possuir planos de ação em andamento, pois quando uma crise eclode e a empresa não possui a filosofia do gerenciamento e não sabe se comunicar, terá outro problema, e talvez crie uma crise dentro de outra crise.

É importante estar presente adequadamente nos meios digitais. Aqui, é fundamental frisar o "adequadamente", pois comunicação digital não é, somente, colocar promoções da empresa no Facebook, Instagram, LinkedIn e Twitter. Também não é criar login e jogar *posts* sem critérios.

Comunicação – independente do meio estabelecido – é uma ação na qual você transmite uma informação ao receptor da mensagem, que tem o direito de dar um feedback da mensagem, e assim consecutivamente.

No meio digital, esta interação se torna mais intensa, sendo necessário abastecer o público de informação e estar de prontidão para a resposta, gerando um debate. De forma estratégica, a organização abastece este público de informações relevantes, que geram interesse e interatividade. Isso vale para qualquer meio digital. O ideal é saber fazer, colocando mensagens adequadas à rede escolhida. Um release ou comunicado enviado para um grupo de jornalistas não pode ser postado nas redes sociais, por exemplo, pois a linguagem é totalmente diferente.

Também é adequado entender os hábitos, comportamentos e linguagem do público que deseja se relacionar, pois o modo que age, pensa e escreve um grupo de mães, que gosta de amamentar por dois anos seu bebê, é diferente de um grupo de mães que defende o leite materno até os seis meses. Entenda seu público e saiba que o desafio da comunicação atual é passar uma mensagem que seja compreendida por um número maior de pessoas.

Neste processo de comunicação digital, estabeleça um plano para o *website*, pois nada adiantará realizar uma comunicação nas redes sociais eficiente, se o site da empresa não está de acordo com as necessidades do público. Preste atenção se o site possui todas as informações da empresa para os diferentes públicos (público interno, acionistas, fornecedores, comunidade, imprensa, representantes, revendedores, governo etc.).

Uma empresa de uma hidrelétrica me procurou para implantar uma comunicação de risco de um novo projeto. Eu disse a eles que seria necessária uma comunicação como um todo, pois as informações primárias da organização não estavam abastecidas para seu público. Na sociedade de rede – termo usado pelo sociólogo Manuel Castells para descrever a sociedade em que estamos –, quando procuramos uma informação, vamos inicialmente no Google e achamos o site da empresa. Será que confiamos na empresa que possui um site que não contenha suas informações básicas ou desatualizado? Atualmente, não ter estes quesitos é uma falha de identidade da organização, que transmite como ela é e pensa. Então, mãos à obra e elabore um plano de comunicação para a construção do *website*, de tal maneira que seja atualizado constantemente com notícias da organização e do setor.

Neste processo prático de comunicação digital, também se faz necessário se cadastrar nas redes sociais (caso não esteja), porém nada de sair postando informações sem estratégia estabelecida previamente. Faça um mapeamento do seu público de interesse, detecte os formadores de opinião, como também os líderes virtuais, que possuem força on-line, mas nem sempre são conhecidos no meio off-line. Além de se atentar ao público que fala da sua marca, mapeie pessoas que se interessem pelo assunto relacionado ao seu negócio, independente que seja da concorrência, que fale bem ou mal.

A organização deve elaborar um plano de comunicação eficiente com seus públicos, pois a boa imagem e a reputação de uma empresa contam muito no momento de crise. A opinião pública valida sua trajetória e as ações realizadas, e, é claro, para o público conhecer as boas ações de uma empresa, a gestão de comunicação deverá ser considerada como central.

## *Monitoramento da marca*

O serviço de monitoramento de redes sociais é uma ferramenta fundamental para o processo de gestão e gerenciamento de crise nas redes sociais, que deve estar dentro de todas as fases do processo de gestão de crise, além de contribuir muito para o direcionamento da comunicação digital, como também entender como o público está dando uma resposta de seu produto/ serviço ou nova campanha.

No caso de gerenciamento de crise, tenho como princípio usar pelo menos duas ferramentas para evitar que algum ruído sobre uma organização passe despercebido. Existem várias no mercado. Procure uma ferramenta que mais tenha intimidade no manuseio e efetividade com o resultado. Existem ferramentas gratuitas e pagas, que dão com exatidão a situação da marca em tempo real e o balanço dos comentários positivos e negativos da marca.

Por mais que se tenha ferramentas modernas à disposição, o fator principal que determina o sucesso do monitoramento é a *expertise* do profissional que está acompanhando o monitoramento da marca. O profissional qualificado mensurará o sentimento do público, o tom de voz e terá no radar quais riscos podem envolver a marca.

## *Criação do comitê*

Paralelamente ao plano de comunicação, dê continuidade ao plano de gestão de crise. Crie um comitê de crise ou time de crise – montado com aproximadamente oito pessoas estratégicas dentro da empresa, responsáveis pelas ações a serem planejadas. Mantenha o comitê para as crises off-line e on-line, porém os membros envolvidos deverão conhecer a dinâmica das redes sociais.

A função desse grupo é acompanhar o levantamento das vulnerabilidades, ter certeza de que as ameaças estão em processo de prevenção, montar um plano de ações de acordo com cada risco, propor treinamento aos colaboradores para os momentos de crise e revisar as estratégias e ações constantemente.

O núcleo deve ser formado pelo "número 1" da organização (o presidente, diretor-geral ou seu substituto na hierarquia) e pelos mais alto níveis nas funções de finanças, marketing, operação, comunicação empresarial e legal. Nesse time, também é importante conter a área de recursos, logística e tecnologia. Os departamentos mudam de acordo com a área de atuação de cada empresa. Por exemplo, em uma indústria farmacêutica, é importante ter a área médica envolvida.

Na elaboração do plano, cada um terá sua função em um momento de crise. Dependendo do ramo de negócios, uma recomendação importante é ter como coordenador do time o departamento de comunicação, que possui a visão estratégica dos danos que poderão ser causados na reputação da empresa. Este coordenador possui a função de informar e reunir rapidamente os demais membros do comitê, tomar decisões e aprovações. Se optar por este caminho, a comunicação precisa ser estratégica e estar ligada diretamente com a alta direção da empresa.

## *Definição do porta-voz*

O porta-voz nomeado geralmente é o presidente ou o diretor da área do assunto que está em crise. O comitê de crise deverá saber quando o presidente entra para se pronunciar ou outro diretor, pois não convém expor a figura do presidente desnecessariamente. O porta-voz, que geralmente é treinado para dar respostas para a imprensa, deverá conhecer a dinâmica das redes sociais.

No momento em que acontece uma crise nas redes sociais, o porta-voz vem a público se manifestar pelos meios digitais e dependendo do caso se pronuncia para a imprensa. Outros cuidados a serem tomados: em uma crise, o presidente ou diretor ao se pronunciar nas redes sociais deverá aparecer no *login* com o seu próprio nome e não atrás da logomarca da empresa. Por quê? Quando uma marca está em uma comunicação, não sabemos quem está atrás da máquina, se é a Luciana, o João ou a Patrícia. Em uma crise, é fundamental a humanização no qual uma pessoa estabelece uma comunicação com outra pessoa. Outra alternativa é assinar o *post* da empresa com o nome do diretor. É importante analisar cada caso. Eu proponho que além dos porta-vozes fazerem *media training*, eles terem o *"social media training"* para saber dar respostas certas e adequadas para o público e de acordo com cada rede social.

Nas mídias sociais, o vídeo é uma ferramenta importantíssima e saber falar e se posicionar faz toda a diferença. O tom de voz, postura e transparência com o público valem mais que qualquer palavra escrita. O público admite aquele que está disposto a resolver, mas não perdoa marcas que resistem em negar uma crise ou se posicionam como soberanas.

Ao dar um posicionamento, como ser humano, o público tende a compreender melhor a situação e não afeta a reputação do executivo, conquistada anteriormente ao longo de uma trajetória.

Seguem algumas dicas de como o porta-voz deverá se posicionar no momento de crise on-line:

- Use uma linguagem simples e didática. Se for necessário abordar termos técnicos, explique-os;
- Tenha as seguintes respostas na mão: o que, quem, quando, onde, como, por que. Caso não saiba alguma destas questões, prometa responder assim que tiver as informações;
- Ser honesto e transparente;
- Transmitir confiança;
- Ser simpático, calmo e assertivo em suas mensagens;
- Evitar frases do tipo: "não tenho nada a declarar sobre esta situação";
- Ser informal e passar ideias claras.

Muitas destas indicações valem para o *media training*, porém lembre-se que o público na internet não é jornalista, e sim pessoas interessadas ou afetadas pelo assunto em questão.

## *Criação do manual de crise para o universo* on-line

Nesta etapa, o gestor produzirá o manual de crise on-line, no qual relatará todas as medidas a serem realizadas ao desencadear uma crise. O manual se torna importante, pois determina quem tomará as primeiras decisões e assim consecutivamente. Como já dito anteriormente, é muito difícil pensar no que fazer no momento que eclodem os primeiros sinais de uma crise.

Planejar nestas horas torna-se quase impossível, pois o gestor só desejará acabar com a crise, sem pensar se aquela decisão é o melhor caminho ou não. Também nestas horas de aflições é difícil encontrar os líderes de opinião, blogueiros que tratam do assunto, ou os jornalistas que trabalham no meio on-line.

E como serão os comunicados para os *stakeholders*? Tudo isso deve estar contemplado no manual de crise, que pode ficar na rede ou intranet da empresa, de tal maneira que novas vulnerabilidades sejam identificadas e logo incluídas no plano com facilidade. Algumas empresas preferem tê-lo impresso para ser mais ágil. Ter a versão impressa é mais uma opção, pois se caso a internet, energia, ou outros dispositivos tecnológicos falharem, há uma versão na mão para as primeiras medidas.

E o que deve constar no manual de crise? Como elaborá-lo? Não existe uma fórmula exata para a gestão de crise porém, para contribuir, segue um roteiro de orientação.

1. Enumerar as vulnerabilidades, relacionando a probabilidade de acontecimentos e os possíveis danos a serem causados, conforme mapeamento de risco;
2. Indicar os sinais de alerta;
3. Listar as pessoas envolvidas no comitê de crise;
4. Elencar as primeiras ações que deverão ser realizadas no período de uma, duas e quatro horas;
    a. No processo de gerenciamento de crise on-line, o tempo de resposta deve ser de até uma hora por conta da rapidez do meio em multiplicar os efeitos da crise;
    b. Definir a mensagem que será postada de imediato.
5. Enumerar os públicos de interesse da organização, que merecem ser comunicados dentro das primeiras horas;
6. Ao desencadear uma crise, convocar o comitê de crise:
    a. É importante manter todos os telefones e diversos meios de contatos atualizados;
    b. Ao ser convocado, todos deverão saber o que farão e estarem preparados. Por conta disso, o treinamento é importante para que tudo ocorra com precisão;

7. Convocar o porta-voz para a imprensa:
   a. Essa figura deverá ser selecionada cuidadosamente, pois transmitirá as informações de dentro da organização para o público externo, no caso, as redes sociais e a imprensa;
8. De acordo com cada vulnerabilidade, deixe pré-elaborados comunicados relacionados a cada público e mensagens chaves (*key messages*), ou seja, discursos já com o comitê de crise;
   a. É importante elaborar um quadro de quem será responsável para disseminar a informação rapidamente para cada público;
   b. Deixar montado e atualizado o *mailing* para entrar em contato com a imprensa, influenciadores e líderes digitais;
   c. Lembre-se, mensagens personalizadas para cada tipo de rede social, pois elas são diferentes;
9. Colocar em ação o plano de contingência, quando se tratar de casos de emergência, como incêndio;
10. Convocar a imprensa, quando necessário;
11. Manter o manual de crise on-line alinhado com o off-line, caso o tenha – o ideal é ter os dois;
12. Deixar a Central de Atendimento on-line, se necessário, alinhada com a central via telefone. Possui o objetivo de atender os clientes que tenham seus interesses afetados pela crise. É fundamental treinar as pessoas que fazem parte desse processo, pois elas deverão ser pacientes, passar as informações corretamente e ter dinâmica para atender a um público que esteja nervoso ou afetado com o problema;
13. Manter organizados documentos, relatórios anuais, *fact sheets* (documentos publicados em um determinado período que descreve as ações da empresa), biografia dos executivos, fotos e vídeos que demonstrem como são realizados os processos internos, entre outros documentos que demonstrem que a empresa trabalha de forma regular;
    a. Ter fotos e vídeos em banco de imagem é de suma importância para comunicar o público como a empresa lidava com o caso antes da crise.

Em um caso de uma empresa em que atuei, montei um banco de imagens como registro fotográfico. Em um momento de uma crise delicada, tais imagens serviram para processos judiciais, comunicação com o Ministério Público e atuação com os demais órgãos, além de associações e sindicato;

b. A equipe de audiovisual precisa ser sensível para transmitir uma informação estratégica;

14. Deixar previamente desenvolvido o *layout* de um *hotsite* com respostas para serem usadas no momento de crise;
    a. Organizar mensagens, fotos, documentos, gráficos, vídeos e áudios que possam entrar no *hotsite*;
    b. No *hotsite*, também é importante ter informações para a imprensa sobre aquele assunto;
15. Rever o plano pelo menos uma vez por ano;
16. Atualizar e testar o plano;
17. Testar o plano com o comitê de crise e porta-voz;
18. Estimar o custo do plano para cada ação;
19. Manter uma lista de fornecedores, na qual possa contatar em momento de crise, como por exemplo um *webdesign* e programador para colocar rapidamente o *hotsite* no ar;
20. Após uma crise, analisar o que deu certo e errado e começar a refazer o plano.

Estes vintes passos de como montar seu plano de gestão de crise o ajudará na condução para a solução de uma crise. Independente que você seja uma micro, pequena, média, ou grande empresa, tenha isto planejado, pois como disse, em momentos difíceis torna-se complicado tomar atitudes certeiras. Também não dá para agir pela intuição, correndo o risco de piorar a situação.

Não tenha medo: levante suas vulnerabilidades, encare-as de frente, trabalhe na prevenção e desenhe alternativas sobre o que fazer caso aconteça algum problema. Este é um trabalho como um seguro, realize-o minuciosamente para que nunca precise de fato usá-lo.

Erros de uma crise

1. Tentar minimizar o problema;
2. Tentar escondê-lo;
3. Mentir;
4. Passar informações erradas;
5. Tentar achar que pode enganar o consumidor com promoções;
6. Não entender a dinâmica de uma rede social;
7. Demorar em dar respostas;
8. Dar a sua versão sem provas;
9. Os diretores não saberem o que é crise de imagem e deixar fatos relevantes passarem, o que abre espaço de tempo para ganhar repercussão;
10. Falta de conhecimento dos gestores pode aumentar uma crise.

Dicas para uma boa gestão de crise:

- Ser honesto;
- Estar de prontidão;
- Estar preparado para enfrentá-la;
- Querer resolver e não buscar culpados dentro da organização;
- O gestor de comunicação deve estar antenado e disponível 24 horas por dia, sete dias da semana, pois a crise não tem hora para acontecer;
- Todos os membros da organização devem ser detectores de crise. Para isso, treine a equipe. Esta é uma forma de ter agentes trabalhando a seu favor para que as primeiras medidas sejam tomadas;
- Acionar os departamentos envolvidos no momento de crise;
- Ter profissionais habilitados em lidar com crises;
- Escrever e documentar reuniões de crise.

## CAPÍTULO 8

# GERENCIAMENTO DE CRISE

Sábado de manhã, o telefone toca e o seu chefe nervoso grita perguntando se já está sabendo dos comentários que estão na rede sobre o lançamento do produto, que foi desenvolvido durante meses e que possui a perspectiva de faturar milhões. O que fazer? Será o fim do produto? Como começar a desatar este nó de tal maneira que não afete as vendas, nem a reputação da empresa? Há uma categoria de gestores que nem se preocuparia e deixaria tudo para resolver na segunda-feira, o que, para uma crise nas redes sociais, pode ser devastador.

Pensamentos do tipo "deixa para depois", "isso não vai dar em nada", "somos líderes de mercado e isso não nos afetará", ou "vamos deletar os comentários negativos " são grandes estopins para a crise ganhar outras repercussões e, talvez, tomar rumos difíceis de contornar. Tenha extremo cuidado ao deletar um comentário, pois pode mostrar uma postura de que o cliente não possui voz, de "aqui quem manda sou eu". Somente é válido deletar comentários ou ocultá-los quando alguém faltou com respeito e o xingou.

É muito comum a crise começar por um determinado motivo, e conforme a resposta dada sem estratégia, ou a própria falta de resposta da organização, passe a ganhar proporções maiores.

Como já visto, a crise pode surgir de duas formas: repentina ou evolutiva. Como o próprio nome diz, a crise repentina acontece de repente e medidas imediatas devem ser tomadas para conter os rumores, como por exemplo, a queda de um avião, um incêndio em uma fábrica ou uma enchente que devasta uma cidade. As crises evolutivas ganham força gradativamente, ou seja, dão seu primeiro sinal, que é ignorado, e não contido, e os fatos vão evoluindo. A falta de uma resposta e um posicionamento rápido e adequado permite que a crise avance mais uma casa, ganhando muito mais força e se multiplicando para outros públicos. Quando chega ao terceiro estágio, a organização pode até perceber que pode dar problema, mas não sabe mais conter ou não consegue mais ignorar.

Nas redes sociais, esta velocidade se multiplica e, dependendo do assunto, a consequência pode vir dentro de uma hora, ou ser quase que imediata. Outras crises levam horas ou dias para ter um efeito multiplicador. Como disse, dependem dos fatos, das pessoas envolvidas, número de afetado, o quanto o assunto possui repercussão, interesse comum, se envolve governo, celebridade etc. Cada caso é um caso, e na dúvida aja rápido, porém estrategicamente. Lembre-se que agir por impulso pode gerar outra crise ou mesmo ampliar a que está se desenrolando.

O sucesso do gerenciamento de crise depende diretamente do que foi planejado na fase de gestão, considerando que uma empresa a tenha realizado. O termo gerenciamento significa o ato de administrar, ou seja, aplicar os processos planejados e definidos pela gestão. Em outras palavras, a gestão planeja e o gerenciamento executa.

A gestão elabora o processo de planos de ações de todas as etapas e, quando uma crise se desencadeia, chama-se gerenciamento de crise – o processo de aplicação dos planos anteriormente traçados. O gerenciamento é um encadeamento de ações práticas que visam conter uma crise que está acontecendo. Mesmo sem um plano previamente definido, as ações empreendidas durante tal processo também são chamadas de gerenciamento, cujo resultado pode ser negativo ou positivo para a imagem da corporação. Entrar em uma crise sem saber o que fazer é como um piloto entrar em um avião sem saber sua rota e destino. Seu sucesso dependerá somente da sorte.

Existem dois caminhos de um gerenciamento de crise: o processo planejado previamente com medidas pré-estabelecidas para garantir a continuidade do negócio e que não arranhe a reputação da marca; e um gerenciamento "salve-se quem puder", ou seja, sem planejamento e sem saber se sobreviverá no fim da história.

Diferente do modo tradicional de gerenciar crises no ambiente *off*, lidar com as redes sociais é estar com o satélite ligado 24 horas nos sete dias da semana, sem folga, sem descanso e feriado. Afinal, as redes não param e muitos negócios também não. Claro, que na madrugada o ritmo de discussão e interações diminui, mas também possui sua representatividade.

Para as redes sociais, o satélite que detectará o início de uma crise é a ferramenta de monitoramento em conjunto com um profissional gabaritado para acompanhar as redes sociais e capaz de identificar o estopim de uma crise. Dependendo do ramo do negócio e da probabilidade que o risco desencadear, tal rastreamento deverá ser intenso e envolver uma equipe competente. O monitoramento do uso de gerenciamento de crise requer atenção, pois há empresas que contratam o serviço por apenas uma hora do dia, porém temos 24 horas, e as chances de passar um indício de uma crise são grandes.

Alguns sinais podem indicar o início de uma crise nas redes sociais:

- Defeito de produto;
- Produto que não foi entregue;
- Falha de atendimento;
- Uso de matéria-prima que denigra fatores éticos, como o uso de animais;
- Falta de ética com profissionais e fornecedores, como mão de obra infantil, assédio, falta de pagamento etc.;
- Discussão em torno da integridade da marca;
- Falta de resposta da empresa para algum consumidor;
- Cobrança indevida;
- *Recall* de produtos;
- Retirada de produto do mercado, sem aviso prévio;
- Comunicação sem estratégia ou feita por um profissional não qualificado;

- Erros de português;
- Falhas da concorrência e que envolva a empresa e o ramo de atuação na discussão.

Alguns outros escândalos também podem tornar uma organização o assunto mais comentado nas redes sociais e indicar uma crise de imagem.

- Discriminação por raça, sexo, credo etc.;
- Violação de direitos humanos, como trabalho escravo, exploração de menores;
- Questões de ética, como corrupção, pagamento de propina, favorecimento de algum político em troca de favores, compra de informações privilegiadas, sonegação fiscal, fraudes, adulteração de alimentos em busca de lucro, matérias-primas inadequadas, como animais etc.;
- Crimes ambientais – uso inadequado do meio ambiente para benefício próprio: contaminação de solo, ar, mares e rios, devastação, tratamento inadequado de lixos etc.;

Existe um outro tipo de categoria de crises que pode ganhar força nas redes sociais quando envolve a decisão da própria empresa.

- Fusão e aquisições;
- Demissão em massa;
- Greves;
- Pedido de falência;
- Fraudes contábeis;
- Queda das ações na bolsa de valores;
- Construção de uma nova fábrica, que vai afetar uma determinada região ou grupo;
- Cenários políticos e econômicos, como reforma da previdência;
- Movimentações do mercado financeiro.

Os riscos de cada negócio são particulares e variam de empresa para empresa, mesmo sendo do mesmo setor. Realizar o mapeamento das vulnerabilidades fará entender quando sua organização estará entre os próximos assuntos mais comentados da rede. Como dito no capítulo anterior, o processo de mapeamento das vulnerabilidades é constante e não deve parar.

Quando a crise tem origem em uma única pessoa, ela procura as redes sociais para um desabafo, contando sua experiência negativa. Na maioria dos casos, ela busca a rede no primeiro momento não para exigir seus direitos, mas para contar sua história e se encontrar com outras pessoas que sofreram situações similares.

A equipe de gerenciamento de crise, por intermédio do sistema de monitoramento, detecta o fato, entende o que está acontecendo e recorre às medidas estabelecidas de contenção, que podem ou não estar planejadas ou não previamente.

O sistema de monitoramento tem a função de contribuir na detecção de uma crise, mas não se pode deixar nas mãos das ferramentas para que ela alerte supostos perigos. Neste caso, o fator humano – por meio de um profissional habilitado – realiza o trabalho de análise, no qual verifica o teor da crise e o quanto ela pode evoluir. Digo isso, pois há muito relatório de monitoramento que menciona somente se a reputação da marca tem sido positiva ou negativa, sem estudar o conteúdo da mensagem e seus reflexos, que podem gerar uma crise evolutiva. Analise sentimentos e tons de mensagens. A leitura de todas elas fará uma grande diferença.

A crise estourou e percebe-se que os rumores podem aumentar. O que fazer? Se o manual foi planejado previamente, aprovado e atualizado, siga os primeiros direcionamentos, pois nem sempre dará para convocar o comitê de crise. O ideal é tomar as primeiras providências de contenção para depois realizar uma reunião.

Entenda que cada crise é uma crise. Algumas delas se iniciarão nas redes sociais e ganharão os holofotes da mídia. Atualmente, a imprensa noticia um fato de peso que ganha repercussão nas redes sociais, discutindo aquele assunto por todo o dia. É interessante notar que muitos jornais têm aberto espaço para publicar *posts* mais relevantes sobre determinado tema, oferecendo um espaço para a opinião pública se manifestar. Este é um dos papeis da imprensa.

A primeira atitude, após responder ao consumidor dizendo que a empresa está averiguando os fatos e que logo entrará em contato – considerando que seja uma crise isolada envolvendo somente um consumidor –, entenda a crise, como ela se originou, procure o departamento envolvido dentro da organização. O ideal é levantar todos os históricos de reclamação do consumidor e as respostas dadas pela atendente. Também é interessante o departamento de crise analisar o quanto tal reclamação tem sido constante por diferentes pessoas. Dependendo do tamanho do negócio, é recomendável deixar um colaborador interno para a solução dos casos, pois dependendo da demanda a equipe de gerenciamento de crise não dará conta para realizar todas as etapas.

Desde o momento que se inicia uma crise, todos os passos devem ser relatados: origem da crise, tipo de crise, gênero da crise, e demais análises e fatos que se sucederam. Fazer um relatório constante, como se fosse uma ata, é fundamental para analisar, após a crise, o que deve ser melhorado e contemplado.

Faz parte dos processos de gerenciamento de crise:

- Fazer rapidamente uma análise da mídia e a cobertura on-line dos fatos;
- Identificar qual é o tipo de crise para ser colocada a mensagem adequada de acordo com o planejamento;
- Entender o tipo de crise antes de dar um posicionamento;
- É de suma importância entender a gravidade da crise e seus reflexos para colocar em prática os tópicos a seguir;
- Muitos rumores se apagam após a resolução imediata no caso, por exemplo, de um consumidor insatisfeito;
- Com o avanço dos sinais de alerta e gravidade, avisar os participantes do comitê de crise;
- Ao entender a crise, tomar atitudes para cessá-la, como retirar o produto do mercado, realizar *recall* etc.;

- Notificar os públicos de interesse, tais como clientes, investidores, acionistas, público interno, comunidade, órgãos de governo, grupos financeiros, como bancos, fornecedores, distribuidores, imprensa, entre outros;
- Alguns públicos devem ser notificados via telefone e outros por comunicado. Os contatos devem estar atualizados para que, nos momentos de crise, não haja dificuldade de comunicação.

Cuidado com a análise da crise, dependendo de sua repercussão não haverá necessidade de contatá-los, porém não os ignore. A equipe de gerenciamento de crise deve saber o momento certo de comunicar os *stakeholders*. Por exemplo, um acionista não vai gostar de ser informado constantemente de uma crise pequena e de pouca relevância. É de seu interessante somente aquelas com maior repercussão e que podem impactar seus investimentos.

- Colocar informações da empresa a disposição do governo, órgãos oficiais, polícia etc.;
- Lembre-se que cada caso é um caso. Uma adulteração de um alimento, por exemplo, envolve polícia, Anvisa, entre outros órgãos. Por isso, se faz necessário se colocar à disposição de instituições, contribuindo para as investigações;
- Em crises do ambiente externo envolvendo acidentes, deve-se saber se as medidas de emergência já foram tomadas e quais, como chamar o corpo de bombeiros, ambulância, polícia, defesa civil etc.;

  Alguns processos de gerenciamento de crise off-line devem ser pensados para não afetar a imagem da organização. Além disso, é fundamental ter conhecimento sobre integridade física dos envolvidos.
- Otimizar a engenharia de busca do *website*;

  Em uma crise, cresce o número de visitantes do site da organização, que querem saber como a empresa trabalha, como os fatos se sucederam etc. Nessas horas, relatar os fatos transmite a imagem de transparência, o que garante conquistar a confiança do público.

- Dar *feedback* (retornos) pela internet;

  Quando a crise se inicia no ambiente on-line, é importante dar respostas efetivas para o público da web, com linguagens apropriadas para o mundo virtual;

- Ativar uma comunicação efetiva on-line;

  Manter uma comunicação com os *stakeholders*, transmitindo mensagens acerca dos acontecimentos. Explique os fatos, como eles aconteceram, como a empresa enxerga aqueles acontecimentos e as medidas que estão sendo tomadas.

- Dê uma atenção especial à comunicação com o público interno para que eles saibam o que está acontecendo, envolvendo-os na operação para que o negócio não pare, além de evitar que saia informações não oficiais sobre o caso;

  Se comunicar com o público interno é um respeito com o seu colaborador, que deve ser um parceiro no momento de crise. Com as informações transmitidas adequadamente, evita-se que. os colaboradores reverberem dados errôneos a outros públicos;

- Usar a web para fornecer informações importantes para o consumidor;

  Coloque um *hotsite* ligado ao site da empresa, pois se concentra em um espaço único as informações referentes à crise. Além disso, um espaço reservado para aquele assunto permite que as demais informações online da empresa não sejam misturadas.

- Combinar o gerenciamento de crise tradicional com a imprensa e o método on-line, ou seja, desenvolver *releases* e enviá-los para o *mailing* pré-selecionado;

- Colocar informações on-line para a imprensa, com fotos, vídeos e demais documentos para que os jornalistas, influenciadores e formadores de opinião elaborarem suas reportagens;

- Desenvolver mensagens adequadas aos formadores de opinião presentes na web;

  É importante já ter este *mailing* previamente para que rápidas mensagens sejam direcionadas.

- Implementar uma ferramenta de *chat* para esclarecimento de dúvidas com atendentes capacitados e treinados previamente;

  Em alguns casos, mesclar o atendimento telefônico convencional com os *chats*. Também é necessário ter um profissional no atendimento aos e-mails.
- Estabelecer uma comunicação entre o presidente da empresa e os *stakeholders*, usando sua rede social pessoal;

  No momento de crise, o presidente fala como pessoa e não como um *login* generalizado. O importante é a humanização, e o diretor falando em nome da empresa transmite confiabilidade.
- De quatro a oito horas do início da crise, é preciso convocar a imprensa, dependendo da proporção e evolução do caso. Se for necessário convocar uma coletiva de imprensa, é possível fazê-la on-line;

  Com a tecnologia de vídeo, também é possível fazer uma transmissão ao vivo, via internet, para outros *stakeholders*. Além de otimizar custo, o tempo para organizar uma coletiva on-line é muito menor, mas sinta se existe a necessidade de fazê-la presencialmente. No *mailing* da coletiva on-line, não se esqueça de convocar os influenciadores/blogueiros, pois eles são grandes disseminadores de informação.
- A internet tem alcance mundial. Dependendo do porte da empresa, é necessário ter a versão em inglês do site;

  Se for uma multinacional, avise e alinhe com as demais filiais suas ações e trace o modo como eles devem proceder caso haja questionamentos. Muitas pessoas vão até a rede oficial da multinacional para declarar descontentamento.
- Dependendo da intensidade e repercussão da crise, pode ser necessário retirar as propagandas on-line do ar. Por exemplo, se uma montadora de carro foi acusada de provocar um acidente com uma família por conta de falha técnica, não pega bem manter a propaganda do veículo, pois passará a imagem que a empresa somente quer vender o produto e não pensa em solucionar o problema;
- Avalie a presença em eventos, pois a crise pode ganhar mais repercussão;

- Por meio do monitoramento de redes sociais e uma pesquisa de opinião pública, feita pela própria web, verifique a evolução da crise, ou se o debate da opinião pública está diminuindo. Se ela ganhou os holofotes da mídia ou se estão atreladas, deve-se analisar os *clippings* das matérias que saíram e realizar uma auditoria de imagem;
- O processo de gerenciamento de crise on-line não deve passar de três horas para dar uma resposta. O ideal é colocar algum *post* dentro da primeira hora. Ao postar uma mensagem na primeira hora, além de não deixar a crise ganhar mais força, transmite credibilidade ao consumidor, indicando que está preocupado com o caso, que está disposto a resolver, e que o cliente é seu maior patrimônio.

Perceba que muitas ações anteriormente citadas devem ser planejadas previamente. Como disse, o sucesso do gerenciamento depende diretamente da gestão de crise. Durante uma crise, fica difícil colocar rapidamente um *hotsite* no ar, como também realizar uma coletiva de imprensa on-line. O que será colocado no *hotsite*? Quais as informações relevantes? O custo foi contemplado? A empresa possui um fornecedor que produza rapidamente? Sabe quem realiza coletiva on-line no mercado? Qual porta-voz deverá se pronunciar para as redes sociais? Perceba que muitos detalhes devem ser pensados com antecedência. Além disso, tais ações devem ser simuladas e avaliadas.

Tenha claro quanto custará o gerenciamento de crise e quanto que o gestor tem de autonomia para aprovar custos que estavam fora do planejado. No momento de crise, quais as pessoas que têm a caneta na mão? Precisa ser mais de uma.

## Comportamentos e atitudes adequadas para o gerenciamento de crise na internet

Existem muitos comportamentos corporativos que devem ser adotados quando o assunto é crise. Tais atitudes e pensamentos não devem vir somente dos gestores, mas estar dentro da filosofia das organizações, pois pelo contrário, o sucesso na finalização da crise não será satisfatório.

Lembre-se que uma crise é um momento delicado e não basta somente seguir o manual para obter um resultado facilmente. O processo de gestão e gerenciamento de crise (tanto on-line, como off-line) não é uma ciência exata, que basta seguir a fórmula para concluir o protocolo. Exige que o gestor tenha sensibilidade e psicologia adequada. Considerar um apoio psicológico para a equipe envolvida é interessante para que questões emocionais não travem ou inviabilizem o processo.

- Independente de estar certo ou errado, quando a organização está envolvida em um problema, a empresa está na crise e deve-se trabalhar por uma solução. Afinal, a marca está exposta;
- Não negar e nem confirmar os fatos até ter certeza que realmente não tem relação com a crise. O responsável deve somente declarar que está disposto a ajudar;
- Não mentir;
- Explicar o que aconteceu;
- Cuidado com boatos. Qualquer surgimento de novos rumores deve ser apurado;
- Na internet, é necessário também ser transparente e honesto;
- Não culpar os outros, ou transferir o problema. Esclareça os fatos;
- Não afirmar: "Não tenho nada a ver com isso";
- Não se desespere e comece a dar declarações para se defender sem pensar estrategicamente no assunto;
- Nas mensagens usadas na internet, não usar palavras formais. As mensagens não devem ter o tom de comunicado;
- Seja coerente nas explicações dos fatos, pois o Google pode desmascarar a organização, caso esteja mentindo;
- Estar de prontidão à medida que novas informações surgirem. Atualize os diferentes meios de comunicação on-line. Lembrando que a mensagem deve ser direcionada para cada categoria de público;

- Caso não tenha informações novas, não deixar de atualizar as redes sociais para não parecer "sumiço". Mantenha a comunicação;
- Mesmo que os fatos não estejam comprovados, é necessário avisar, por exemplo, que: a empresa está disposta a ajudar a esclarecer os fatos; está retirando produtos do mercado para garantir a saúde da população etc.;
- Disponibilizar profissionais especializados para dar a versão técnica do caso;
- Em uma crise, quando não se tem fonte adequada para falar do caso, surgem pessoas para dar sua versão sobre ele. Se necessário, marque um bate-papo on-line para esclarecimento de dúvidas, em especial casos de saúde;
- O profissional especialista no assunto também poderá explicar o que pode ser feito se o consumidor sentir algo errado, as medidas a serem tomadas etc.;
- Para manter um bom relacionamento com a imprensa e com formadores de opinião da web, é importante abrir a empresa para explicar, de forma transparente, como é feito o processo produtivo, as ações internas etc.

## Posicionamento dos gestores

- Manter a calma em todas as etapas do processo;

  Em casos de acidentes envolvendo vítimas, é importante dispor de um psicólogo para acompanhar os tomadores de decisão ou integrantes da equipe de gerenciamento de crise.
- Se envolver com o problema e estar disposto a resolver a qualquer custo, usando as estratégias certas;
- Ter a postura de falar a verdade. Mentir pode agravar a crise, depois de descoberta, e o dano ser ainda maior;
- Nas mensagens transmitidas, passar confiança e credibilidade;
- Não dar ouvidos aos boatos, pensar somente em resolver;
- Ter prontidão;

- Não pensar em custos e visualizar a solução do caso;
- Não pensar que uma crise faz parte de uma onda de azar e que você é a bola da vez. É muito comum o diretor ou proprietário da organização se sentir injustiçado, perseguido, vítima da concorrência e de pessoas que não gostam da empresa. Lembre-se que todos os negócios possuem riscos, a sua organização não é a única;
- Não realizar desabafos ou comentários sobre a crise, seu trabalho ou a correria que está vivendo nas redes sociais. Saiba o que falar. Também não comentar com seus amigos a tarefa árdua que está vivendo. Sempre há alguém acompanhando você;
- Apesar das redes sociais ser um campo livre, não coloque sua opinião sobre a crise que sua empresa está vivendo, a não ser que seja autorizado pela organização, ou seja, estratégico;
- Se seus amigos perguntarem sobre a crise nas redes sociais, saiba o que responder. Se for o caso, pergunte ao comitê de crise sobre o melhor posicionamento.

  Mensagens postadas nas redes sociais pessoais podem ser um estopim para agravar a crise.

Tais sugestões ajudam os gestores nas suas posturas diante de uma crise. Como disse, não existe uma fórmula exata, mas são sugestões para qual rumo seguir.

## Quando a crise termina?

Perceber o momento que a crise finalizou é um dos maiores desafios para o gestor de comunicação, porque se deve tomar cuidado com fatos novos que venham a reacendê-la. Na internet, este desafio é ainda maior, pois tem os buscadores que contribuem para manter a informação fresca, ao digitar o nome da empresa no Google, para o público reviver a história.

Quando se trata de um problema com o produto, novas queixas permitem rememorar as reclamações já resolvidas.

A solução da crise dependerá do processo de gerenciamento, mas levará semanas ou até mesmo meses para o gestor ter certeza que a poeira tenha abaixado. O trabalho ainda não acabou mesmo não sendo o assunto principal das redes sociais. O que precisa ser feito é conquistar novamente a reputação on-line da empresa e trazer o público de volta para seu time. Este será um trabalho árduo, mas não impossível.

# Capítulo 9

# PÓS-CRISE: CONQUISTE SUA REPUTAÇÃO (*RECOVERY*)

A crise acabou, mas não respire aliviado. Será que acabou mesmo? Tenha cuidado ao declarar o fim da crise, pois ela não vai embora na mesma velocidade em que chega. Também não coloca um ponto final na história rapidamente, como um fim de novela. Pode ser desesperador para quem realmente está envolvido e vivendo a crise, mas o melhor caminho é entender seu percurso e ter calma para tomar atitudes. Após vivenciar um momento complicado (um acidente, uma crítica de consumidor, ou qualquer outro problema que denigriu a imagem), ser bombardeado por um turbilhão de críticas e ter o negócio ameaçado, o melhor caminho é agir com estratégia. O susto já passou, o que basta é ter um olhar satélite para que a crise não retome e analisar e traçar trajetórias para a recuperação do seu maior bem: a marca.

Trabalhar com estratégia é como um jogo de xadrez, no qual você tem necessidade de entender a situação, o lado oposto e o posicionamento dos envolvidos para depois tomar decisões das pedras que irá mover. Paciência, inteligência e ações certeiras são palavras-chaves para conquistar o relacionamento com o público. De qualquer maneira, já deixo avisado, requer tempo – semanas ou meses, dependendo da exposição da marca ao problema. Em alguns casos, mais de um ano. Independente do grau da crise, já tenha em mente que levará algum tempo para a recuperação da imagem e ter a estabilidade de que ninguém mais falará sobre o assunto.

Nas redes sociais, o assunto pode permanecer vivo por meses e alguém relembrar o caso para pedir esclarecimento à empresa, ou até mesmo para ser assunto de piadas. Em uma circunstância ou em outra, o nome da organização está envolvido.

Também é comum relembrar o caso quando uma outra crise similar acontece, pois retoma a discussão na esfera pública, tanto um acidente com a concorrência, quanto qualquer situação similar no cenário nacional e internacional. Os fatos são expostos na imprensa, e as redes sociais abrem um novo debate em torno do assunto. E a sua marca? Novamente exposta ao caso. Se ele não estiver resolvido, ou a empresa continuar repetindo o erro, pode ter certeza de que a opinião pública cobrará o quanto aquela organização fez para resolvê-lo, as medidas tomadas pelo Ministério Público, entidades etc. A poeira se levantará para discussão.

Se a crise for retomada muito tempo depois e a organização tiver tido tempo, chance de ter esclarecido os fatos e conquistado sua reputação, pode ganhar resultados positivos. Por conta disso, o trabalho pós-crise se torna fundamental para resolução do caso e ganhar créditos perdidos na reputação.

Finalizar uma crise na internet é um desafio, pois os buscadores fazem relembrar o caso e isso é um fator que ninguém consegue controlar. Basta digitar o nome da empresa e, dependendo da relevância, lá está o caso estampado na tela. Ou se digitar o nome de algum problema – que indiretamente está ligado à organização – a crise revive. Um exemplo é a crise do leite, que ocorreu em 2007, no qual a empresa Parmalat foi acusada de adulterar a bebida usando soda cáustica. Esta crise se prolongou na imprensa por três intensos meses pela falta de esclarecimento da organização e outros atores envolvidos (as cooperativas). Ao digitar no buscador, "adulteração de leite", aparece a descrição do caso, destacando principalmente a empresa Parmalat, marca mais forte envolvida no escândalo.

É importante também compreender que os buscadores possuem o critério de relevância de conteúdo, ou seja, assuntos mais clicados e procurados aparecem em primeiro lugar. Isso independente de *links* patrocinados ou campanha de *adwords*. Ou seja, esta é uma situação que o gestor de comunicação não consegue controlar, pagar ou reclamar para mudar.

Por conta destes fatores, entre outros, que as crises na internet se tornam mais devastadoras e requerem um trabalho mais apurado no pós-crise.

## Análise da crise

No momento em que uma crise vai perdendo seu impacto e força, é importante uma análise para serem mensurados os danos causados. Dependendo da crise, seu impacto, o número de pessoas afetadas, o reflexo na mídia e o número de *posts* referentes à marca, o caminho é mais abrangente e complexo. Esta avaliação dependerá do *feeling* do gestor em mensurar os danos causados.

Muitas empresas calculam o quanto a marca foi afetada nas vendas, mas o que vale principalmente para eles é o fator financeiro. Sem dúvida, este é um grande mensurador, porém é necessário calcular o quanto a marca foi afetada no âmbito intangível, que é a sua reputação. Entender o que o consumidor está pensando sobre a marca e a organização é uma atitude sábia.

Uma pesquisa quantitativa de mercado é uma ferramenta que ajudará muito neste momento. Compreender quantas pessoas deixariam de comprar o produto, quanto a crise afetou a boa imagem que se tinha, se voltará a comprar após a estabilidade da organização, se mantem a mesma confiança de antes, entre outras questões que devem ser levantadas de acordo com cada caso. É necessário ser estratégico e não pensar somente no reflexo de venda. Uma marca vende uma ideologia, confiança e outros atributos embutidos. Tenha em mãos e já orçado no seu plano de gestão de crise, empresas especializadas em pesquisas, pois estas saberão rapidamente como ajudar com respostas concretas sobre a posição do seu público. Dependendo do resultado, a pesquisa qualitativa pode ser necessária, pois se entenderá melhor o pensamento de um grupo de consumidores ou até mesmo dos formadores de opinião.

## Monitoramento das redes sociais

Como dito em capítulos anteriores, a monitoramento da marca – realizada por ferramentas que possuem um mecanismo de busca do que estão falando da sua organização – é uma tarefa que deve estar em todas as etapas de um processo de gestão e gerenciamento de crise nas redes sociais. Entretanto, perceba que em cada etapa o monitoramento possui uma função.

Recapitulando: na fase de gestão de crise (momento de planejamento, no qual a crise não aconteceu), o monitoramento possui a função de detectar e analisar como a sua marca está sendo vista pelos seus *stakeholders*, o que eles estão falando e o que pode ser um precursor de crise. A partir daí, realiza-se uma avaliação para iniciar o planejamento de comunicação e elencar quais riscos podem ser prevenidos.

Na fase do gerenciamento, o monitoramento serve como um satélite que detecta o sinal vermelho de uma possível crise que está se iniciando ou, que de fato se iniciou. Também nesta fase, a ferramenta possui a função de indicar a evolução da crise e o movimento da opinião pública, como também, detectar se a crise está ganhando novos rumos e evoluindo, ou perdendo forças com o público.

No pós-crise, o monitoramento é feito com um olhar mais amadurecido, além de mapear e ficar atento se a crise pode ser retomada ou não. Esta fase possui a função de levantar dados relevantes (*posts*, comentários, compartilhamento, alcance, sentimentos etc.) para realizar análises de conteúdo ou de retórica.

As avaliações serão uma grande mina de ouro para entender para qual caminho a marca deverá seguir em relação a sua comunicação, como também apresentar argumentos e posicionamentos adequados para o seu público. Somente a partir destas etapas é que o gestor terá respaldo adequado para tomar decisões corretas e colocar a empresa na trilha certa e, assim, retomar sua estratégia de conquista de reputação.

## Análise de conteúdo

Em uma análise de uma crise, eu gosto muito de trabalhar com a metodologia de análise de conteúdo, que é importante durante e após a crise.

No caso de um estudo envolvendo a construção discursiva de uma crise e o posicionamento dos atores envolvidos, o método de análise de conteúdo torna-se de extrema importância por permitir não só uma análise aprofundada das mensagens, mas também a possibilidade de verificar como os fatos foram sendo redimensionados e reelaborados por meio daquele debate, geralmente gerando novos posicionamentos e desdobramentos.

Laurence Bardin (2010) define a análise de conteúdo como "uma técnica de investigação que tem por finalidade a descrição objectiva, sistemática e quantitativa do conteúdo manifesto da comunicação".[1] Além disso, a análise de conteúdo se preocupa com a configuração de indicadores (quantitativos ou não) que permitem a inferência de conhecimentos relativos às condições de produção/recepção dessas mensagens. Essa técnica preocupa-se principalmente em desenvolver procedimentos de estudo das comunicações entre os indivíduos, enfatizando o conteúdo das mensagens e os aspectos quantitativos do método. A análise de conteúdo deriva da combinação de três processos principais: descrição, interpretação e inferência.[2]

Bardin divide a análise de conteúdo em três fases: a pré-análise; a exploração do material e o tratamento dos resultados (interpretação e inferência). A pré-análise inclui a escolha dos documentos a serem submetidos à análise, a formulação das hipóteses e dos objetivos, e a elaboração dos indicadores que irão fundamentar a interpretação final.

É interessante avaliar, através dos argumentos fornecidos pelos próprios atores envolvidos na crise, como tal crise se desenhou no espaço da mídia ou das redes sociais, iniciando um processo de debate e de formação da opinião pública.

Como mencionado anteriormente, a mídia (inclui as redes sociais) é um espaço de exposição, justificação e até mesmo revisão de argumentos por parte dos atores envolvidos. Em um processo de debate,

1 BARDIN, 2010, p. 38.

2 "Se a descrição (a enumeração das características do texto, resumida após tratamento) é a primeira etapa necessária e se a interpretação (a significação concedida a estas características) é a última fase, a inferência é o procedimento intermédio, que vem permitir a passagem, explícita e controlada, de uma a outra" (BARDIN, 2010, p. 41).

muitos argumentos são elaborados tendo em vista a necessidade de responder a um posicionamento adotado por outro ator. A opinião pública, como explicado no capítulo 1, se abastece do debate e da troca de argumentos na esfera pública, que por sua vez tem visibilidade no palco da mídia. A opinião pública é a responsável por exigir posicionamentos dos responsáveis e envolvidos. Em uma situação de crise, é notável na esfera pública que um fato pode começar com pouca repercussão, e à medida que vai se desenrolando, a crise vai sendo definida e redefinida, adquirindo proporções imensas. Também depende muito dos discursos e argumentos apresentados ao longo do processo de troca de argumentos. Por outro lado, uma crise também pode se iniciar com um grande impacto e logo desaparecer.

Perceba que a análise de conteúdo pode ser complexa, mas ela te dá parâmetros sobre os posicionamentos dos envolvidos na crise. Se usado estrategicamente, é possível que durante a crise, a organização dê posicionamentos corretos e adequados, a partir da voz do outro, à medida que os fatos vão acontecendo. Após a crise, este método permite adotar mensagens adequadas ao público de acordo com os impactos gerados. Com a análise, o discurso pós-crise é feito com o objetivo de obter créditos perdidos na reputação e permite criar ações estratégicas de comunicação mais incisivas.

## *Análise de retórica*

A análise de retórica é outra metodologia valiosa em comunicação, pois se verifica se os atos e comportamentos estão condizentes com o discurso. Há muitas organizações que falam que sua marca faz determinadas ações, mas na realidade não passa do papel, ou seja, o discurso não está de acordo com a prática.[3]

A retórica das organizações é composta por um conjunto de ações de comunicação, capaz de legitimar a organização. Halliday explica que os atos retóricos são

---

3 Trata-se de "instrumento de pesquisa crítica da comunicação que envolve a descrição, análise, interpretação e avaliação de atos retóricos" (HALLIDAY, 2009, p. 43).

> objetivos e missão, memorandos, mensagens de propaganda, relatórios, comunicados a mídia, entrevista de porta-vozes, videoclipes, sites, apresentações em Power Point, documentários, notas de esclarecimento... e outros símbolos.[4]

Os posicionamentos das organizações em momentos de crise também fazem parte de seus atos retóricos, no qual validam e legitimam suas ações quanto organizações.[5]

Um exemplo: uma empresa que, em sua filosofia, afirma que seus produtos e processos produtivos são sustentáveis, porém por trás dos holofotes, não organiza seu lixo tóxico, contamina o solo, não possui controle de nutrientes tóxicos, explora funcionários, sonega impostos...Você perceberá que há muitas organizações assim, o que podemos concluir que o discurso não condiz com a prática e que pode eclodir ou piorar uma crise. Em momentos difíceis, também há empresas que prometem mudar seu sistema produtivo e, quando a crise passa, nada acontece.

O gestor de crise tem a função de checar e apontar os processos adequados para não agravar uma crise. A análise de retórica também é um método que deve ser usado durante e após uma crise, demonstrando que tais argumentos comunicados aos públicos estão de acordo ou não com a realidade.

O pós-crise é uma reflexão crítica no qual se avalia os pontos a serem melhorados em uma organização, por isso que se trata de uma etapa tão ou mais trabalhosa que o próprio processo de gerenciamento em si.

## *Análise de crise nas redes sociais*

Com o entendimento de análise de conteúdo e retórica, a equipe de gestão de crise tem uma tarefa árdua na análise das mensagens oriundas do monitoramento das redes sociais. Repetindo: as ferramentas de

---

4 HALLIDAY, 2009, p. 32.

5 Em momentos de crise, reconhece o erro, busca repará-lo, demonstra firmeza e confiabilidade, transcende a situação, realinhando-se com altos princípios e nobres metas. Passada a crise, retoma suas estratégias de manutenção de legitimidade, entre as quais a ação retórica, sempre presente. (Halliday, 2009, p. 48).

monitoramento das redes sociais não servem somente para dimensionar se a reputação da marca está sendo positiva ou negativa.

Neste caso, o fator humano – por trás das ferramentas – indica o efeito da crise no consumidor, como também aponta o conteúdo das mensagens e os reflexos para a imagem da marca. O analista das mensagens deverá adotar uma postura crítica, sem indicar se o autor do *post* colocado foi coerente ou não, ou se seu posicionamento foi correto ou não. Neste caso, o profissional deverá ter uma leitura sob o olhar do público, que pode ter sido afetado ou não.

Cada um possui uma metodologia de trabalho, porém elaborar um quadro apontando efeitos positivos e negativos e seus impactos ajuda a ter uma melhor leitura da situação. Cada crise é uma crise, e tais análises podem ser longas, durar semanas ou meses.

## *Relatório de crise*

A partir da leitura das análises, é o momento de elaborar o relatório, que servirá como um documento para tomadas de decisões imediatas, como também um registro oficial para possíveis futuras crises. É importante ser minucioso e descrever detalhes mesmo que pequenos e insignificantes.

Esse relatório deverá contar uma grande história, que contemplará:

- Como se iniciou a crise;
- Fatores que levaram a crise;
- Os primeiros *posts* relacionados ao assunto;
- Primeiros posicionamentos da organização;
- O tempo que levou para a empresa dar uma resposta a partir do momento que iniciou a crise;
- As atitudes tomadas pela empresa;
- Como a empresa (diretores, acionistas e público interno) se comportou diante da crise;
- Reação do público interno;
- Como as informações foram passadas entre os envolvidos;

- Rumores que surgiram no meio do caminho;
- Reações do Serviço de Atendimento ao Consumidor;
- Pontos positivos da organização diante da crise;
- Soluções que deram certo, ou não;
- Improvisos tomados e suas consequências;
- Entre outros detalhes relevantes da crise que precisem ser registrados.

## *Comunicação pós-crise*

Após a análise profunda dos reflexos da crise, o planejamento de comunicação entra em prática para estabelecer uma relação com os públicos, esclarecer mal-entendidos, explicar quem é a empresa, suas ações presentes e futuras etc. No planejamento, avalie a necessidade de aliar a comunicação off-line com a digital. Na maioria dos casos, é necessário os dois, que devem estar alinhados para evitar que apresentem discursos e posicionamentos diferentes.

Como cada rede social possui sua peculiaridade, o plano deverá respeitar as características de cada canal e se ater que a comunicação nas redes sociais deve ser feita de acordo com cada público. Por exemplo, se a organização possui uma comunidade para o público interno, a comunicação deve ser feita neste espaço, pois as mensagens para o público final são diferentes da mensagem para os colaboradores. Assim serve para a rede de revendedores, fornecedores, comunidade etc. Cada comunicação deve estar direcionada para cada público para garantir sua efetividade e resultado diante do emissor.

No processo de gerenciamento de crise nas redes sociais, como também no pós-crise, a transparência e a sensibilidade com o caso influenciam na relação com o público. Após a crise perder forças, agradeça os *stakeholders* que estiveram ao lado empresa no momento difícil. À medida que forem surgindo novas dúvidas sobre a crise, o gestor não deve ter receio, responda e, o que não souber, esteja disposto em buscar uma resposta. Ao ficar calado diante de um problema, permite que novas informações errôneas surjam, sem poder contê-las. Mesmo no processo pós-crise, é importante agir com prontidão e rapidez nas respostas.

Dentro do plano de comunicação, o *website* é o canal que possui a função de ser a fonte primária da organização, que leva os fatos de dentro para fora, expondo as informações oficiais diretamente ao público. Após a crise, reveja como as informações estão distribuídas no site, se são esclarecedoras ao público, se os *links* estão sendo direcionados para as páginas certas, se a há atualizações constantes, se há um profissional habilitado para abastecer as notícias etc.

O espaço virtual, por ser abrangente e infinito, permite ser explorado com mais efetividade. Desta forma, não economize esforços para direcionar a comunicação para cada tipo de público.

# CONSIDERAÇÕES FINAIS

Este livro teve como objetivo demonstrar o poder das redes sociais e quanto as crises são devastadoras na sociedade da informação em que vivemos. Empresas que pensam estrategicamente devem reconhecer que sua organização possui riscos (todos os negócios possuem riscos), saber como preveni-los e quando uma crise acontecer, saber o que fazer.

Ao longo deste livro, eu trouxe a abordagem de como se forma a opinião pública, as diferenças entre riscos e crise, e o porquê de se preocupar com a imagem e a reputação das organizações, como também como construí-la. É importante também entender como nascem as crises nas redes sociais e na mídia. Afinal, as crises nas redes sociais podem surgir do próprio espaço on-line e ter repercussão nas mídias digitais, como também vir do espaço off-line e ter repercussão no mundo on-line.

Na abordagem desta edição eu dei muita ênfase ao processo de gestão de riscos. Sem mapear os riscos não se consegue fazer nada. Não dá para elaborar um plano eficiente sem entender o que pode afetar a organização, tanto como objetivo, quanto marca e reputação. Este mapeamento é constante, pois os cenários em que estamos vivendo, mundialmente falando, afetam de alguma maneira a organização.

Com os riscos mapeados e identificados, os líderes devem se envolver em tomadas de decisões para prevenir, mitigar e evitar que venha a acontecer. Trata-se de um trabalho multidisciplinar, em que todos devem participar. Em muitos casos, envolva a equipe, pois quem está na ponta da operação pode ter soluções simples e viáveis.

O monitoramento de acordo com cada risco é outro ponto de suma relevância e que não pode ser ignorado. Não pense em monitoramento somente como redes. Há diferentes tipos. A partir do momento que conheço os riscos que podem me afetar, preciso levantar critérios de monitoramento e criar um plano de observação/acompanhamento e acionamento.

Os *cases* apresentados e que tiveram repercussão servem como lição para outras organizações, pois a partir dos erros e acertos dos outros, as empresas podem olhar seu próprio umbigo e perceber que o mesmo pode acontecer com elas. Solução: agir antecipadamente, com estratégia, prevenção e comunicação adequada.

De forma resumida, veja um roteiro de gestão e gerenciamento de crise nas redes sociais que espero que possa contribuir para seu negócio.

## Etapa 1 – Gestão de risco

- Levantar os riscos – internos e externos;
- Entrevistar pessoas estratégicas dentro da organização, que possa ter um dado desconhecido e que não esteja no radar;
- Levantar dados de reclamações do consumidor;
- Investigar riscos dos *stakeholders* que podem afetar a marca;
- Pesquisar fatores externos – políticos, econômicos, sociais e culturais – que podem influenciar na percepção da marca;
- Criar o *Risk Heat Map* – o que pode afetar sua marca, considerando probabilidade e impacto.

## Etapa 2 – Tomada de decisão

- Com os riscos, discutir com a alta direção o que precisar ser feito para conter, prevenir, evitar e minimizar crises.

## Etapa 3 – Monitoramento

- De acordo com cada risco, estabelecer critérios de monitoramento;
- Definir gatilhos de acionamento.

## Etapa 4 – Gestão de crise nas redes sociais

### *Issue Management:*

- Analisar o tamanho da organização;
- Analisar a cultura da companhia no ambiente virtual;
- A área de comunicação deve estar alinhada com a internet e ter conhecimento do assunto;
- Analisar e criar um plano para o *website* da empresa;
- Implantar uma comunicação on-line. O site deverá ser atualizado constantemente, como também banco de dados e listas de e-mail;
- Levantar as vulnerabilidades que podem afetar o negócio no mundo virtual. Enxergar as ameaças em âmbito global;
- Checar as vulnerabilidades que podem surgir no mundo off-line e repercutir no on-line;
- Implantar um monitoramento on-line constante da marca;
- Criar um sistema de alerta;
- Registrar todas as possibilidades de grupos e *hashtags* negativas em sites, blogs, Instagram, Twitter e demais redes sociais que possam se referir à sua empresa;
- Identificar *stakeholders* que estejam no ambiente virtual;
- Mapear influenciadores e líderes de opinião no mundo virtual e acompanhá-los de perto;
- Desenvolver um plano de comunicação on-line;
- Pesquisar o tom e a linguagem da mensagem que deva falar com seu público. Lembrando que o estilo de comunicação implantada no off-line é diferente do on-line;
- Familiarizar a equipe de comunicação corporativa com o ambiente virtual. Nesse caso, promover treinamentos constantes.

### *Prevenção*

- Ao levantar as vulnerabilidades da empresa, veja quais ameaças podem ser prevenidas para que não vire uma crise;

- Envolver os departamentos da empresa para que riscos sejam constantemente monitorados e medidas sejam tomadas e evitadas. Neste caso, é imprescindível envolver o comitê de crise, comunicando a nova ameaça.

## *Planejamento*

- Criar ações virtuais, desenvolver o blog e se cadastrar em redes sociais;
- Com os *stakeholders* mapeados, estabelecer uma comunicação on-line;
- Identificar influenciadores na internet, que são diferentes dos formadores de opinião;
- Estabelecer também uma comunicação com líderes virtuais e formadores de opinião;
- Criar um comitê de crise que conheça a dinâmica das redes sociais:
  - Se a empresa possui o comitê de crise para o mundo off-line, os membros deverão ter o conhecimento das redes sociais e seus impactos. Esse processo é importante, porque, no momento da crise, ações deverão ser tomadas com mais rapidez e não haverá tanto tempo para dar uma resposta ao público;
- Fazer um treinamento com diretores da empresa:
  - Explicar o que são as redes sociais, seus impactos e seu poder de influência;
- Desenvolver um manual de crise on-line:
  - O manual pode ficar na rede ou intranet da empresa, de tal maneira que novas vulnerabilidades sejam identificadas e logo incluídas no plano com facilidade;
- Desenhar mensagens e respostas de acordo com cada rumor e criar um *guideline*:
  - No caso das redes sociais, as mensagens não podem ter um tom de comunicado. A linguagem é diferente;

- Desenvolver um *hotsite* com respostas para serem usadas no momento de crise:
  - Organizar mensagens, fotos, documentos, gráficos, vídeos e áudios, que possivelmente possam entrar no *hotsite*;
- No *hotsite*, também é importante ter informações para a imprensa sobre aquele assunto;
- Manter o monitoramento constante da marca no mundo virtual;
- Criar um treinamento de simulação de crise.

## Etapa 5 – Gerenciamento da crise (durante)

- Fazer rapidamente uma análise da mídia e a cobertura on-line dos fatos;
- Identificar qual é o tipo de crise para ser colocada a mensagem adequada de acordo com o planejamento. Entenda o tipo de crise antes de dar um posicionamento;
- Avisar os participantes do comitê de crise;
- Dar *feedback* (retornos) pela internet;
- Ativar uma comunicação efetiva on-line;
- Manter uma comunicação com o público, transmitindo mensagens acerca dos acontecimentos;
- Desenvolver mensagens adequadas aos formadores de opinião;
- Implementar uma ferramenta de chat para esclarecimento de dúvidas com atendentes capacitados e treinados previamente;
- Usar a web para fornecer informações importantes para o consumidor;
- Estabelecer uma comunicação entre o presidente da empresa e os *stakeholders*, usando sua rede social pessoal;
- No momento de crise, o presidente deve falar como pessoa e não como um *login* generalizado;
- Se for necessário, convocar uma coletiva de imprensa, é possível fazê-la on-line;

- Com a tecnologia de vídeo, também é possível fazer uma transmissão ao vivo, via internet, para outros *stakeholders*;
- Combinar o gerenciamento de crise tradicional com a imprensa e o método on-line, ou seja, desenvolver *releases* e enviá-los para o *mailing* pré-selecionado;
- Colocar informações on-line para a imprensa, com fotos, vídeos e demais documentos para os jornalistas elaborarem suas reportagens;
- Na internet, é necessário também ser transparente e honesto;
- O processo de gerenciamento de crise on-line não deve passar de três horas para dar uma resposta. O ideal é colocar algum *post* dentro da primeira hora;
- A internet tem alcance mundial. Dependendo do porte da empresa, é necessário ter a versão em inglês do site;
- Se for uma multinacional, avisar e alinhar com as demais filiais suas ações e traçar o modo como elas devem proceder caso haja questionamento.

## Etapa 6 - Pós-crise

- Monitorar os reflexos da crise;
- O monitoramento da marca deve ser constante;
- Manter a comunicação com *posts* atualizados referentes ao tema da crise, tanto no *website*, como nas redes sociais;
- Avaliar a crise e rever como a empresa lidou com os fatos;
- Nos casos negativos, revisar para colocar novas ações no plano;
- Definir a estratégia para reconstruir a reputação da marca na internet;
- Alinhar com a estratégia da comunicação off-line;
- Agradecer aos *stakeholders* que estiveram ao lado da marca nos momentos difíceis;
- Criar um relatório de crise que tenha as lições aprendidas e para observar processos.

# REFERÊNCIAS BIBLIOGRÁFICAS

## *Livros*


ALMEIDA, Ana Luiza de Castro. "Identidade, imagem e reputação organizacional: conceitos e dimensões da práxis." In: KUNSCH, Margarida Maria Krohling (Org.). *Comunicação organizacional*: linguagem, gestão e perspectivas. São Paulo: Saraiva, 2009. v. 2.

ALVES FILHO, José Prado. *Uso de agrotóxicos no Brasil*: controle social e interesses corporativos. São Paulo: Annablume/Fapesp, 2002.

ARANHA, Maria Lúcia de Arruda; MARTINS, Maria Helena Pires. *Filosofando:* introdução à Filosofia. São Paulo: Moderna, 1995. (Moderna Plus).

ARGENTI, Paul A. *Comunicação empresarial.* Rio de Janeiro: Elsevier, 2006.

BARDIN, Laurence. *Análise de conteúdo.* Lisboa: Edições 70, 2010.

BARROS, Betânia T. de, PRATES, Marco A. S. *O estilo brasileiro de administrar.* São Paulo: Atlas, 1996.

BAUMAN, Zygmunt. Ética pós-moderna. São Paulo: Paulus, 1997.

______. *Globalização*: as consequências humanas. Rio de Janeiro: Zahar, 1999.

______. *Modernidade* líquida. Rio de Janeiro: Zahar, 2001.

______. *Amor líquido*: sobre a fragilidade dos laços humanos. Rio de Janeiro: Zahar, 2004.

BECK, Ulrich. *Risk Society:* Towards a New Modernity. Londres: Sage Publications, 1992.

______. *O que é globalização?* São Paulo: Paz e Terra, 1999.

______. *World Risk Society.* Cambridge: Polity Press, 1999.

______. GIDDENS, Anthony; LASH, Scott. *Modernização reflexiva:* política, tradição e estética na ordem social moderna. São Paulo: UNESP, 1997.

______. *Liberdade ou capitalismo.* São Paulo: UNESP, 2003.

BUENO, Wilson da Costa. *Comunicação empresarial*: teoria e pesquisa. Barueri: Manole, 2003.

______. *Comunicação empresarial*: políticas e estratégias. São Paulo: Saraiva, 2009.

CARVAS JÚNIOR, Waldomiro. "Relações públicas no gerenciamento de crises." In: KUNSCH, Margarida Maria Krohling (Org.). *Obtendo resultados com relações públicas*. São Paulo: Pioneira, 2006.

CASTELLS, Manuel. *A galáxia da internet*: reflexões sobre a internet, os negócios e a sociedade. Rio de Janeiro: Zahar, 2003.

CHIAVENATO, Idalberto. *Administração geral e pública*. Rio de Janeiro: Elsevier, 2006

CHRISTOFOLETTI, Rogério. *Ética no jornalismo.* São Paulo: Contexto, 2008.

COSTA, Caio Túlio; MARQUES, Ângela; COELHO, Cláudio Novaes Pinto, et alii. *Esfera pública, redes e jornalismo.* Rio de Janeiro: E-papers, 2009.

DEMAJOROVIC, Jacques. *Sociedade de risco e responsabilidade socioambiental*: perspectivas para a educação corporativa. São Paulo: Senac, 2003.

DIÓGENES, Eliseu. *Administração:* suas condicionalidades e fundamentos epistemológicos. Maceió: EDUFAL, 2007.

D'IRIBARNE, Philippe. "Conceituando culturas nacionais: uma abordagem antropológica". In: BARBOSA, L. (coord.) *Cultura e diferenças nas organizações*. São Paulo, Atlas, 2009.

ESTEVES, João Pissara. *Media, comunicação e moral comunicacional.* Espaço Público e Democracia. São Leopoldo: USININOS, 2003.

______. *Opinião pública.* Covilhã: Labcom, 2010.

FEARN-BANKS, Kathleen. *Crisis Communications*: a Casebook Approach. New Jersey: Lawrence Erlbaum Associates, 1996.

______. *Crisis Communications*: a Casebook Approach. New Jersey: Lawrence Erlbaum Associates, 2002.

FRANÇA, Fábio; GRUNIG, James E; FERRARI, Maria Aparecida. *Relações públicas:* teoria, contexto e relacionamentos. São Caetano do Sul: Difusão Editora, 2009.

FREITAS, Maria Ester de. *Cultura organizacional.* São Paulo, Makron Books, 1991.

GIDDENS, Anthony. *As consequências da modernidade.* São Paulo: UNESP, 1991.

GIDDENS, Anthony. *Modernidade e identidade.* Rio de Janeiro: Zahar, 2002.

GOMES, Wilson; MAIA, Rousiley C.M. *Comunicação e democracia*: problemas e perspectivas. São Paulo: Paulus Editora, 2008.

GOODMAN, Michael B. *Corporate Communications for Executives.* New York: State University of New York, 1998.

HABERMAS, Jürgen. *Toward a Rational Society.* Boston: Beacon Press, 1971.

HABERMAS, Jürgen. *Direito e democracia*: entre facticidade e validade. Rio de Janeiro: Tempo Brasileiro, 1997. 1 v. (Biblioteca Tempo Universitário 101).

HALLIDAY, Tereza Lúcia. "Discurso organizacional: uma abordagem retórica." In: KUNSCH, Margarida M. Krohling (Org.). *Comunicação organizacional.* Linguagem, gestão e perspectivas. São Paulo: Editora Saraiva, 2009b. v. 2.

HOFSTEDE, Gert. *Culturas e Organizações.* Lisboa, Sílabo, 1997.

HUMBERG, Mário Ernesto. "O profissional e a ética empresarial." In: KUNSCH, Margarida Maria Krohling (Org.). *Obtendo resultados com Relações Públicas.* São Paulo: Pioneira Thomson Learning, 2006.

KUNSCH, Margarida Maria Krohling. *Planejamento de Relações Públicas na comunicação integrada.* São Paulo: Summus, 2003.

______. "Planejamento estratégico para a excelência da comunicação." In: KUNSCH, Margarida Maria Krohling (Org.). *Obtendo resultados com Relações Públicas.* São Paulo: Pioneira Thomson Learning, 2006.

______. *Comunicação organizacional:* histórico, fundamentos e processos. São Paulo: Saraiva, 2009. v.1.

______. *Comunicação organizacional:* linguagem, gestão e perspectivas. São Paulo: Saraiva, 2009. v.2.

LIMA JÚNIOR, Walter. "Mídias sociais conectadas e jornalismo participativo." In: MARQUES, Ângela; COSTA, Caio Túlio; COSTA, Carlos et alii. *Esfera pública, redes e jornalismo*. Rio de Janeiro: E-papers, 2009.

LUECKE, Richard. *Gerenciando a crise.* Rio de Janeiro: Record, 2007.

MARCONI, Joe. *Marketing em momentos de crise.* São Paulo: Pearson, 2000.

______. *Relações Públicas, o guia completo.* São Paulo: Cengage Learning, 2009.

MITROFF, Ian I. *Managing Crises Before They Happen*. New York: AMACOM, 2001.

MARQUES, Ângela Cristina Salgueiro (Org.). *A deliberação pública e suas dimensões sociais, políticas e comunicativas*: textos fundamentais. Belo Horizonte: Autêntica, 2009.

MATOS, Heloiza. "Opinião Pública e conversação cívica." In: MARQUES, Ângela; COSTA, Caio Túlio; COSTA, Carlos et al. *Esfera pública, redes e jornalismo.* Rio de Janeiro: E-papers, 2009.

MOTTA. Fernando Prestes. "Cultura e organizações no Brasil". In: MOTTA, Fernando Prestes, CALDAS, Miguel P. *Cultura organizacional e cultura brasileira.* São Paulo: Atlas, 1997.

PORTO, Mauro. "Enquadramentos da mídia e política". In: RUBIM, Antônio Albino C. (Org.) *Comunicação e política*: conceitos e abordagens. Salvador: Edufba, 2004.

MORIN, Edgard. *Os sete saberes necessários à educação do futuro.* São Paulo: Cortez, 2018

NASSAR, Paulo. *Tudo é comunicação.* São Paulo: Lazuli, 2006.

NEVES, Roberto de Castro. *Crises empresariais com a opinião pública.* Rio de Janeiro: Mauad, 2002.

POULAIN, Jean-Pierre. *Sociologias da alimentação.* Florianópolis: UFSC, 2004.

RECUERO, Raquel. *Redes sociais na internet.* Porto Alegre: Sulina, 2009.

ROSA, Mário. *A síndrome de Aquiles:* como lidar com as crises de imagem. São Paulo: Gente, 2001.

______. *A reputação na velocidade do pensamento*: imagem e ética na era digital. São Paulo: Geração Editorial, 2006.

______. *A era do escândalo*: lições, relatos e bastidores de quem viveu as grandes crises de imagem. São Paulo: Geração Editorial, 2007.

SODRÉ, Muniz. *A narração do fato*: notas para uma teoria do acontecimento. Petrópolis: Vozes, 2009.

SPLICHAL, Slavko. "A teoria de Ferdinand Tönnies sobre a opinião pública como uma forma de vontade social." In: MAROCCO, Beatriz; BERGER, Christa (Org.). *A era glacial do jornalismo*: teorias sociais da imprensa. Porto Alegre: Sulina, 2006.

SUNG, Jung Mo; SILVA, Josué Cândido da. *Conversando sobre ética e sociedade.* Petrópolis: Vozes, 2004.

TANURE, Betânia. "Singularidade da gestão brasileira?!" In. BARBOSA, L. (Coord.) *Cultura e diferenças nas organizações.* São Paulo, Atlas, 2009.

TÖNNIES, Ferdinand. "Opinião pública". In: MAROCCO, Beatriz; BERGER, Christa (Org.). *A era glacial do jornalismo:* teorias sociais da imprensa. Porto Alegre: Sulina, 2006.

## *Artigos apresentados em congressos e seminários*

GUIDUCCI FILHO, Edson; ALMEIDA, Vicente Eduardo. Alimentação saudável e riscos alimentares: desafios da segurança alimentar no Brasil. In: CONGRESSO DA SOCIEDADE BRASILEIRA DE ECONOMIA, ADMINISTRAÇÃO E SOCIOLOGIA RURAL, 45, 2007, Londrina. *Sober.* Jul. 2007. Disponível em: < http://www.sober.org.br/palestra/6/612.pdf>. Acesso em: 16 set. 2019.

PÉRSIGO, Patrícia M.; FOSSÁ, Maria Ivete Trevisan. Da crise a céu aberto às manchetes dos jornais: a comunicação organizacional e a construção do acontecimento jornalístico. In: CONGRESSO BRASILEIRO DE CIÊNCIAS DA COMUNICAÇÃO, 33, 2010, Caxias do Sul. *Intercom.* set. 2010. Disponível em: < http://www.intercom.org.br/papers/nacionais/2010/resumos/R5-1457-1.pdf>. Acesso em: 16 set. 2019.

PORTO, Marcelo Firpo. Riscos, incertezas e vulnerabilidades: transgênicos e os desafios para a ciência e a governança. In: SEMINÁRIO INTERNACIONAL DE ESTUDOS INTERDISCIPLINARES. 3, 2004, Florianópolis. *UFSC.* abr. 2004. Disponível em: <https://periodicos.ufsc.br/index.php/politica/article/download/1966/1717>. Acesso em: 16 set. 2019.

## Artigos em publicações

CASALI, Alípio. Ética e sustentabilidade nas Relações Públicas. *Revista Organicom*, São Paulo, v. 5, n. 8, p. 48-58, 14 jun. 2008. DOI: https://doi.org/10.11606/issn.2238-2593.organicom.2008.138966. Disponível em: <https://www.revistas.usp.br/organicom/article/view/138966>. Acesso em: 16 set. 2019.

GONZÁLEZ-HERRERO, Alfonso; SMITH, Suzanne. Crisis Communications Management on the Web: How Internet-Based Technologies are Changing the Way Public Relations Professionals Handle Business Crises. *Journal of Contingencies and Crisis Management*, v. 16, n. 3, p. 143-153, set. 2008. DOI: https://doi.org/10.1111/j.1468-5973.2008.00543.x. Disponível em: < https://onlinelibrary.wiley.com/doi/10.1111/j.1468-5973.2008.00543.x>. Acesso em: 16 set. 2019.

GUIVANT, Julia S. A trajetória das análises de risco: da periferia ao centro da teoria social. *Revista Brasileira de Informações Bibliográficas*, São Paulo, n. 46, p. 3-38, 2. sem. 1998. Disponível em: < http://anpocs.com/index.php/bib-pt/bib-46>. Acesso em: 16 set. 2019.

_____. A teoria da sociedade de risco de Ulrich Beck: entre o diagnóstico e a profecia. *Estudos Sociedade e Agricultura*, Rio de Janeiro, v. 9, n. 1, p. 95-112, abr. 2001. Disponível em: < https://revistaesa.com/ojs/index.php/esa/article/view/188>. Acesso em: 16 set. 2019.

_____. Riscos alimentares: novos desafios para a sociologia ambiental e a teoria social. *Revista Desenvolvimento e Meio Ambiente*, v. 5, 2002. DOI: http://dx.doi.org/10.5380/dma.v5i0.22119. Disponível em: < https://revistas.ufpr.br/made/article/view/22119>. Acesso em: 16 set. 2019.

HUMBERG, Mario Ernesto. Ética organizacional e Relações Públicas. *Revista Brasileira de Comunicação Organizacional e Relações Públicas*, São Paulo, v. 5, n. 8, p. 89-91, 2008. DOI: https://doi.org/10.11606/issn.2238-2593.organicom.2008.138970. Disponível em: < https://www.revistas.usp.br/organicom/article/view/138970>. Acesso em: 16 set. 2019.

KITZINGER, Jenny. Researching risk and the media. *Health, Risk & Society*, London, v. 1, n. 1, p. 55-69, 1999. DOI: https://doi.

org/10.1080/13698579908407007. Disponível em: < https://www.tandfonline.com/doi/abs/10.1080/13698579908407007>. Acesso em: 16 set. 2019.

MEI, Joana Siah Ann; BANSAL, Namrata; PANG, Augustine.
New media: a new medium in escalating crises? *Corporate Communications: An International Journal*, v. 15, n. 2, p. 143-155, 11 maio 2010. DOI: https://doi.org/10.1108/13563281011037919. Acesso em: 16 set. 2019.

MELO, Waltemir. Comunicação de risco: ação obrigatória das organizações que trabalham com produtos perigosos. *Revista Brasileira de Comunicação Organizacional e Relações Públicas*, São Paulo, v. 4, n. 6, p. 114-135, 2007. DOI: https://doi.org/10.11606/issn.2238-2593.organicom.2007.138929. Disponível em: < https://www.revistas.usp.br/organicom/article/view/138929>. Acesso em: 16 set. 2019.

RANGEL, Maria Ligia. Comunicação no controle de risco à saúde e segurança na sociedade contemporânea: uma abordagem interdisciplinar.
*Revista Ciência & Saúde Coletiva*, v. 12, n. 5, p. 1375-1385, out. 2007. DOI: http://dx.doi.org/10.1590/S1413-81232007000500035. Disponível em: < http://www.scielo.br/scielo.php?script=sci_arttext&pid=S1413-81232007000500035&lng=pt&nrm=iso>. Acesso em: 16 set. 2019.

RINALDI, Alexandra; BARREIROS, Dorival. A importância da comunicação de riscos para as organizações.
*Revista Brasileira de Comunicação Organizacional e Relações Públicas*, São Paulo, v. 4, n. 6, p. 136-147, 2007. DOI: https://doi.org/10.11606/issn.2238-2593.organicom.2007.138930. Disponível em: < https://www.revistas.usp.br/organicom/article/view/138930>. Acesso em: 16 set. 2019

SHINYASHIKI, Roberto T.; FISCHER, Rosa Maria; SHINYASHIKI, Gilberto. A importância de um sistema integrado de ações na gestão de crise.
*Revista Brasileira de Comunicação Organizacional e Relações Pública*, São Paulo, v. 4, n. 6, p. 148-159, 2007. DOI: https://doi.org/10.11606/issn.2238-2593.organicom.2007.138931. Disponível em: < https://www.revistas.usp.br/organicom/article/view/138931>. Acesso em: 16 set. 2019.

SROUR, Robert Henry. Por que as empresas eticamente orientadas? *Revista Brasileira de Comunicação Organizacional e Relações Públicas*, São Paulo, v. 5, n. 8, p. 59-67, 2008. DOI: https://doi.org/10.11606/

issn.2238-2593.organicom.2008.138967. Disponível em: < https://www.revistas.usp.br/organicom/article/view/138967>. Acesso em: 16 set. 2019.

## *Artigos na internet*

ALMAS, Reidar. Food Trust, Ethics and Safety in Risk Society. *Sociological Research* On-line, v. 4, n 3, 1999. Disponível em: <http://www.socresonline.org.uk/4/3/almas.html>.Acesso em: 16 set. 2019.

BAYER, Diego; AQUINO, Bel. Da série: "Julgamentos Históricos": Escola Base, a condenação que não veio pelo judiciário. *Justificando*. 10 dez. 2014. Disponível em: <http://www.justificando.com/2014/12/10/da-serie-julgamentos-historicos-escola-base-a-condenacao-que-nao-veio-pelo-judiciario/>. Acesso em: 16 set. 2019

Facebook completa 15 anos com 2,3 bilhões de usuários. *G1*. 04 fev. 2019. Disponível em: <https://g1.globo.com/economia/tecnologia/noticia/2019/02/04/facebook-completa-15-anos-com-23-bilhoes-de-usuarios.ghtml>. Acesso em: 2 jun. 2019.

FARIAS, Luiz Alberto de Farias. "O poder e a cultura nas organizações contemporâneas". *Portal – RP.* Disponível em: < http://www.portcom.intercom.org.br/pdfs/d4167a6e93d8b6762a199faf0f9e84d2.PDF>. Acesso em: 16 set. 2019.

## *Teses*

MOTTA, Renata Campos. *O risco nas fronteiras entre política, economia e ciência*: a controvérsia acerca da política sanitária para alimentos geneticamente modificados. 2008. 109 f. Dissertação (Mestrado em Ciências Sociais) - Universidade de Brasília, Brasília, 2008.